Working with Spanish

(New Edition)

Level 2

Coursebook

Juan Kattán-Ibarra

Tim Connell

Stanley Thornes (Publishers) Ltd

First published in 1984 by:
Stanley Thornes (Publishers) Ltd
Delta Place
27 Bath Road
Cheltenham GL53 7TH
United Kingdom

This edition published in 1996

01 02 03 04 05 / 10 9 8 7 6

A catalogue record for this book is available from the British Library.

ISBN 0 7487 2770 1

New illustrations by John Taylor
Typeset by Tech-Set, Gateshead, Tyne and Wear
Printed and bound in Great Britain at TJ International Ltd, Padstow, Cornwall

Introduction

Working with Spanish – Level 2 is designed as a continuation of the language work introduced in Level 1, but will also be suitable as a free-standing coursebook for students approaching intermediate level, or anyone wishing to revive or consolidate their knowledge of Spanish. Emphasis here is placed on functions concerning events in past and future time, and the Conditional and Subjunctive are fully covered.

Each Unit introduces a specific language function (talking about what you used to do, for example) and most units also include a second section developing from the first (e.g. past description). These functions are fully illustrated and exploited through dialogues, listening material and group exercises. At the same time the forms for each tense and its particular uses are clearly laid out at the end of each Unit, complete with examples drawn from the extensive range of texts, practice exercises and dialogues which serve to illustrate these points. Other grammar points are similarly covered.

The course is designed for the needs of people who expect to use Spanish in a practical context, but should also appeal to adult learners in general. It covers situations which will be familiar to those working in different fields of business as well as situations arising from foreign travel. Both Spain and Latin America are used as locations, and Spanish and Latin American voices figure in the recordings which accompany the course. (Recorded material is indicated by the symbol .)

The exercises to be found in each Unit are of a practical nature, including the use of realia (filling in forms, job specifications, details of forthcoming conferences), and directed towards the kind of skills which would be called on in reality: summaries, conversations for listening comprehension, telephone dialogues, and report writing. Situation-based exercises include some interpreting.

There is a consolidation unit after every four lessons and these consolidation units provide a useful selection of material for tests or assessment work. The last consolidation unit is followed by a grammar summary and a Spanish-English vocabulary.

Contents

Acknowledgements

The authors and publishers wish to express their gratitude to Begoña García of City University, Amanda Thompson of the Spanish National Tourist Office and SEAT (UK) for their help in providing realia, and to Juliana Connell. They are also grateful to the following for the use of source material:

Actualidad Económica; Cambio 16; Dirección General de Tráfico, Ministerio del Interior, Madrid; El Mercurio, Santiago de Chile; Ministerio de Sanidad y Consumo, Madrid; Oficina Municipal de Información al Consumo, Toledo; El País; El Periódico; Protagonistas; Revista Carta de España; Shell Briefing Service; La Vanguardia; Ya.

For use of photographs thanks are due to Luis Carrasco (page 20), Hutchison Library (page 15), Juan Kattán-Ibarra (pages 11, 17, 19, 24, 29, 32, 33, 43, 70, 71, 86, 88, 115, 123, 127, 130, 135, 146, 147, 155, 160), Juan Luzzi (pages 26, 54, 81), Marion and Tony Morrison (page 26), Shell UK (page 14), Spanish Embassy Press Office (pages 7 and 8), Spanish National Tourist Office (page 120), Viasa (page 153), Sally Wood (page 88).

Every effort has been made to trace copyright holders for material used in this book. However, in one or two cases this has not been possible; the publishers would be pleased to hear from anyone claiming copyright for such material and to make the necessary arrangements.

Original material was recorded by Teresa Barro, Julia Zapata, María Asensio, Miguel Peñaranda, Carlos Téllez-Rojo and Martín Santiago. New material was recorded by Eloísa Fernández, Mari Luz Rodrigo, Carlos Fernández and Guillermo Reinlein. Special thanks are due to Graham Williams of The Speech Recording Studio.

Unidad 1

Nací en Cádiz

What you will learn in this unit

- To ask and give personal information about the past with reference to education
- To ask and give personal information about the past with reference to career matters
- To ask and give personal information about the past with reference to marriage

Asking and giving personal information

Dialogue 

Antonio Lapetra, a senior businessman, is being interviewed. This is part of that interview.

Pregunta ¿Donde nació usted, señor Lapetra?

Respuesta Nací en Cádiz.

Pregunta ¿Cuándo nació?

Respuesta Nací el 5 de mayo de 1940.

Pregunta ¿Dónde hizo usted el bachillerato universitario?

Respuesta Mis estudios de bachillerato los realicé en Madrid.

Pregunta ¿Hizo otros estudios?

Respuesta Primero hice estudios de Profesor Mercantil y posteriormente hice algunos cursos de Marketing y de Dirección Comercial.

Pregunta	¿Cuándo comenzó usted a trabajar?
Respuesta	En el año 1960. Ese año ingresé en la Compañía de Seguros La Provincial. Luego, en 1965, pasé a Seguros Hispánicos S.A. como jefe de producción, primero en Galicia y después en Andalucía.
Pregunta	¿Qué cargo ocupa usted actualmente?
Respuesta	Soy Director Comercial de la compañía.
Pregunta	¿Está usted casado señor Lapetra?
Respuesta	Sí, estoy casado y tengo cinco hijos.
Pregunta	¿A qué se dedica usted en sus horas libres?
Respuesta	Soy un gran aficionado a la pintura, a la pesca y a la filatelia.
Pregunta	Le agradezco mucho su información, señor Lapetra. Hasta luego y muchísimas gracias.
Respuesta	De nada. Hasta luego.

Reports

Study these reports published by a Spanish magazine on the careers of three Spanish executives.

Carmen Soto Torres

36 años

Responsable del Departamento de Marketing y Publicidad de Ediciones Redondo. Soltera.

Carmen Soto, madrileña, realizó estudios técnico-comerciales en el Liceo Francés de Madrid; se diplomó en Marketing y Dirección Comercial y siguió un curso de Dirección de Marketing en Pamplona. Trabajó cinco años como asistente de cuentas en una agencia de publicidad del grupo Ibérico. En 1987 ingresó en el equipo de Ediciones Redondo donde es jefa del Departamento de Marketing y Publicidad de la empresa. Carmen Soto también estudió piano en el Real Conservatorio de Madrid.

Gabriel Mateos Cruz

34 años

Director de Marketing de Anderson Ltd
Casado, un hijo

Sus estudios primarios los realizó en México, donde nació. Cursó el bachillerato en España y sus estudios superiores de Ciencias Económicas en una universidad norteamericana. En 1983 ingresó en el Departamento de Marketing de Rawson & Peck en la Ciudad de México a cargo del área de detergentes, jabones de tocador y dentífricos. En 1985 pasó a gerente de productos de Cosmética Tejana donde trabajó durante cinco años. En 1990 Anderson Ltd le nombró Director de Marketing, responsable del área de productos de consumo masivo. En octubre de 1990 se casó con una sevillana y se trasladó a España donde trabaja actualmente en la línea de niños y pañales de la misma firma.

Antonio Lapetra Vargas

56 años

Director Comercial de Seguros Hispánicos S.A.
Casado, 5 hijos

Nació en Cádiz. Antonio Lapetra realizó el bachillerato universitario y los estudios de profesor mercantil en Madrid. Posteriormente hizo numerosos cursos y seminarios de Marketing y Dirección Comercial. En 1960 ingresó en la Compañía de Seguros La Provincial como subdirector comercial. En 1965 pasó a Seguros Hispánicos S.A. como jefe de producción en Galicia. Después ejerció el mismo cargo en Andalucía. En 1972 ascendió a director comercial, cargo que ostenta en la actualidad. Es un gran aficionado a la pintura, a la pesca y a la filatelia.

Practice

1 Reading

Choose one of the outlines above, and read through, substituting 'I' for 'he/she' as follows: *Mis estudios primarios los realicé en México donde nací...*

2 Speaking

Now get together with another student and ask and answer questions in the past tense about yourselves, using *usted* and a formal interview tone.

(*a*) ¿Dónde nació Vd.?
(*b*) ¿Cuándo nació?
(*c*) ¿Cuándo comenzó los estudios secundarios?
(*d*) Y ¿cuándo los terminó?
(*e*) ¿Fue a la universidad? ¿Dónde precisamente?
(*f*) ¿Qué materias estudió?
(*g*) ¿En qué lugares trabajó?
(*h*) ¿Qué cargos ocupó?

Now talk about backgrounds and qualifications in a more informal tone, using *tú.*

(*i*) ¿Qué estudios superiores tienes?
(*j*) ¿Dónde/cuándo los realizaste?
(*k*) ¿Oye, estás casado/a?
(*l*) Y dime, ¿cuándo te casaste?
(*m*) ¿Tienes hijos?
(*n*) ¿Cuándo nació el primero?

3 ¿Verdadero o falso? (*True or false?*)

Say whether the following statements are true or false. Correct false statements.

(*a*) Antonio Lapetra realizó el bachillerato en Cádiz.
(*b*) Ingresó en Seguros Hispánicos S.A. en 1960.
(*c*) En Galicia y Andalucía trabajó como jefe de producción.
(*d*) Gabriel Mateos nació en México.
(*e*) Estudió Ciencias Económicas en los Estados Unidos.
(*f*) Se casó en 1985 con una mexicana.
(*g*) Carmen Soto realizó estudios técnico-comerciales en Francia.
(*h*) En Ibérico trabajó como Directora Comercial.
(*i*) Ingresó en Ediciones Redondo en 1987.

4 Writing

Complete this form with information about Antonio Lapetra:

HISTORIAL DE TRABAJO

NOMBRE .... APELLIDOS ....

EDAD .... ESTADO CIVIL ....

CARGO ACTUAL .... DESDE ....

EMPRESA ....

CARGOS ANTERIORES (en orden cronológico)

....

....

....

ESTUDIOS ....

....

5 Sustained speaking

Give a brief talk about yourself including personal information as well as about your studies and career, using the above questions as a guideline:

Nací en Londres y fui a la escuela en...

6 At-sight translation

```
Curtidos S.A.
calle Los Toros s/n
Valencia
España

Muy señor mío
Acuso recibo de su distinguida carta de 31 de octubre en que
nos solicita información sobre el señor Alfonso Cornetas.
Me complace informarles que el señor Cornetas trabajó en
nuestra compañía entre enero de 1994 y septiembre de 1995. El
señor Cornetas realizó con nosotros un período de formación
en la empresa y luego siguió trabajando en la sección de
contabilidad hasta volver a estudiar en la universidad.
Desempeñó todos los cargos de una forma sumamente eficaz. No
dudo que el señor Cornetas es una persona sumamente adecuada
para cualquier labor que solicite y me es muy grato apoyar su
solicitud.
Le saluda muy atentamente

Enrique Zabala
Jefe de Personal
```

Listening Comprehension

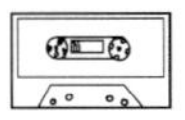

You are on a study visit to Barcelona. As part of your project work you are going to the Picasso Museum and have to fill in this questionnaire by listening to the guide:

(*a*) Place of birth of Pablo Picasso ....

(*b*) Date of birth ....

(*c*) Spanish cities where he studied ....

(*d*) Country where he lived and died ....

(*e*) Four periods in Picasso's work as a painter ....

....

....

....

(*f*) Year in which he painted the Guernica ....

(*g*) Year in which the painter died ....

(*h*) Age at which he died ....

Now give a brief biographical talk in Spanish about an artist from your own country.

Reading Comprehension

The passages below will tell you a little about the history of Spain between 1931 and 1975. The first text relates the main events that took place in Spain between 1931 and 1939, including the abdication of King Alfonso XIII, grandfather of the present King, the advent of the Republic and the ensuing civil war between Republicans and Nationalists, which ended with the defeat of the Republican forces and the establishment of a dictatorship led by General Francisco Franco. The second passage touches on the government of General Franco, while the third focuses on King Juan Carlos. Before you read the texts look at the key words that precede them, then answer the questions which follow them.

A España 1931–9

rey (*m*) king
salió hacia el exilio he went into exile
guerra civil (*f*) civil war
seguir to follow
en contra de against
gobierno (*m*) government
marcar to mark
comienzo (*m*) beginning
fuerzas (*fpl*) forces
enfrentarse con to confront
apoyados supported
monárquico (*m*) monarchist, royalist
jefe del ejército (*m*) army chief
jefe de estado (*m*) head of state

Triunfo republicano
En las elecciones municipales realizadas en España en abril de 1931 triunfó, en las grandes ciudades, la coalición republicano-socialista. En Madrid se constituyó el Comité Revolucionario. El rey Alfonso XIII salió hacia el exilio y España inició una nueva era en su agitada historia política. El 14 de abril de 1931 se proclamó la República y el Comité Revolucionario se convirtió en gobierno provisional.

La Guerra Civil Española
Los años que siguieron a la proclamación de la República fueron de gran convulsión política y social. En julio de 1936, una rebelión militar, en contra del gobierno republicano, marcó el comienzo de una larga guerra civil. Las fuerzas republicanas y de izquierda se enfrentaron a los nacionales en rebelión, apoyados por la derecha política y los monárquicos. La guerra civil terminó en 1939 con el triunfo de los nacionales. El general Francisco Franco, jefe del ejército nacional, se proclamó jefe de Estado.

4 Answer in English

(*a*) When was the Republic proclaimed in Spain?
(*b*) What happened to King Alfonso XIII?
(*c*) When did the Civil War start in Spain?

(*d*) What marked the beginning of the war?
(*e*) Which were the two main forces in the Civil War?
(*f*) What was the outcome of the war?
(*g*) Who became head of state?

B El gobierno de Franco (1939–75)

poder (*m*) power
gobernar to govern
con mano dura with a firm hand

Las características principales del régimen político español a partir de 1939 fueron la concentración del poder en manos del jefe de Estado, el general Franco, y la limitación de ciertas libertades. Franco gobernó el país con mano dura durante casi cuarenta años, hasta su muerte en noviembre de 1975.

1 Answer in English

(*a*) What were the main characteristics of the Franco regime?
(*b*) How did he govern the country and for how long?

C Juan Carlos I

abuelo (*m*) grandfather
educarse to be educated
Suiza Switzerland
derecho (*m*) law
casarse con to marry
príncipe (*m*) prince
designar to nominate
reinado (*m*) reign

Juan Carlos de Borbón y Borbón, rey de España, nació en Roma en el año 1938. Su abuelo fue el rey Alfonso XIII. Juan Carlos se educó en Suiza y a la edad de 16 años ingresó en la Academia Militar de Zaragoza. Más tarde realizó estudios de Económicas, Política y Derecho en la Universidad de Madrid. En el año 1962 se casó con la princesa Sofía de Grecia. Tienen un hijo, el príncipe de Asturias, y dos hijas.

En 1969, el general Franco designó al príncipe Juan Carlos como futuro rey de España, en lugar de su propio padre. Dos días después de la muerte de Franco, el 22 de noviembre de 1975, comenzó su reinado como Juan Carlos I.

1 Answer in Spanish

(*a*) ¿Dónde nació el príncipe Juan Carlos?
(*b*) ¿Cuándo nació?
(*c*) ¿Dónde estudió?
(*d*) ¿Qué estudios realizó en la Universidad de Madrid?
(*e*) ¿Con quién se casó el príncipe Juan Carlos?
(*f*) ¿Cuántos hijos tienen?
(*g*) ¿Quién designó al príncipe Juan Carlos como futuro rey de España?
(*h*) ¿Cuándo comenzó su reinado como Juan Carlos I?

2 Translation

Translate into English the passage on King Juan Carlos.

3 Writing

Write a brief biographical passage about Felipe González, using the following data:

Felipe González Márquez: n. Sevilla 1942. Abogado, especialista en legislación laboral. Primer secretario del Partido Socialista Obrero Español 1974. Diputado por Madrid 1977. Gana las elecciones en 1982, 1986 y otra vez en 1993 y sigue como Jefe de Gobierno aunque con una minoría reducida. Presidente de la Comunidad Europea en la segunda mitad de 1995. En 1996 pierde las elecciones.

Summary

Asking and giving personal information in the past

(i) Date and place of birth

¿Cuándo nació usted?	*When were you born?*
Nací el 5 de mayo de 1950.	*I was born on 5 May 1950.*
¿Dónde nació Gabriel Mateos?	*Where was Gabriel Mateos born?*
Nació en México.	*He was born in Mexico.*

(ii) Education

¿Dónde hizo/realizó usted sus estudios?	*Where did you do/carry out your studies?*
Los hice/realicé en Madrid.	*I did them/carried them out in Madrid.*

(iii) Career

¿Cuándo comenzó usted a trabajar?	*When did you start work?*
Comencé en 1960.	*I started in 1960.*

(iv) Marriage

¿Cuándo se casó usted?	*When did you get married?*
Me casé en 1990.	*I got married in 1990.*
¿Cuándo se casó el señor Lapetra?	*When did señor Lapetra get married?*
Se casó en 1965.	*He got married in 1965.*

Grammar

1 The preterite tense (regular verbs)

The preterite is used to refer to actions or events that took place at some time in the past and which have no bearing on the present. It also refers to past actions or events that have been completed.

-ar verbs	**-er** verbs	**-ir** verbs
trabajar	**nacer**	**vivir**
trabaj**é**	nac**í**	viv**í**
trabaj**aste**	nac**iste**	viv**iste**
trabaj**ó**	nac**ió**	viv**ió**
trabaj**amos**	nac**imos**	viv**imos**
trabaj**asteis**	nac**isteis**	viv**isteis**
trabaj**aron**	nac**ieron**	viv**ieron**

Trabajé allí durante cinco años.	*I worked there for five years.*
El rey **nació** en el año 1938.	*The king was born in 1938.*
Vivieron en México hasta 1990.	*They lived in Mexico until 1990.*

2 Hacer (preterite tense)

hice **hiciste** **hizo** **hicimos** **hicisteis** **hicieron**	**Hice** mi maestría en México. Carmen **hizo** las cuentas ayer.	*I did my Master's in Mexico.* *Carmen did the accounts yesterday.*

(See pages 22, 33 and 73 for uses of **hacer**.)

3 Ser (preterite tense)

fui	(Yo) **fui** jefe de producción en Andalucía.	*I was head of production in Andalusia.*
fuiste		
fue	Carmen Soto **fue** asistente de cuentas.	*Carmen Soto was accounts assistant.*
fuimos		
fuisteis		
fueron		

4 Ser + past participle (passive voice)

The passive is similar in formation and use to the English:

Franco **fue nombrado** jefe del ejército. — *Franco was named as head of the army.*

Juan Carlos **fue designado** futuro rey. — *Juan Carlos was named as future king.*

(Yo) **fui ascendido** a Director Comercial en 1994. — *I was promoted to Commercial Director in 1994.*

Note that the participle agrees in number and gender with the subject:

Elena y María **fueron ascendidas** juntas. — *Elena and María got promoted together.*

See page 44 for **estar** + past participle.

5 Words used in relating a sequence of events

Primero hice estudios de profesor mercantil. — *First I studied to become a commerce teacher.*

Posteriormente realicé unos cursos de Marketing. — *Later I did some courses on Marketing*

Después ejercí el mismo cargo en Andalucía. — *Afterwards I carried out the same job in Andalusia.*

Luego pasé a ser Director Comercial. — *Then I went on to be Commercial Director.*

(Pocos años) **más tarde** me casé. — *(A few years) later I got married.*

Unidad 2

Estuvimos allí dos semanas

What you will learn in this unit
- To ask questions and give answers about past events
- To describe trends
- To make comparisons

A Asking and answering questions about past events

Dialogue 

At a party Sr. García, a Spanish businessman, talks to another guest about Argentina.

Sra. Morales ¿Conoce usted la Argentina?

Sr. García Sí, estuve en Buenos Aires unos días, hace tres años. Tengo unos parientes allí. Emigraron a la Argentina en el año 1940.

Sra. Morales Es una ciudad muy bonita, ¿verdad?

Sr. García Sí, a mí me gustó muchísimo. Desgraciadamente no pude quedarme mucho tiempo. Tuve que volver a Madrid.

Vista de la avenida de Mayo, la principal de Buenos Aires

Sra. Morales	Mi marido y yo estuvimos allí dos semanas y lo pasamos estupendamente.
Sr. García	¿Estuvieron en algún otro país?
Sra. Morales	Sí, también fuimos al Uruguay y al Brasil. Río nos encantó. ¿Conoce usted el Brasil?
Sr. García	Solamente conozco San Pablo. Nuestra compañía abrió una oficina allí hace un año.
Sra. Morales	Aquí viene mi marido. Luis, te presento al Sr. Carlos García.
Sr. García	Encantado de conocerle.
Sra. Morales	Mucho gusto.

Practice

1 ¿Verdadero o falso? (*True or false?*)

Say whether the following statements are true or false. Correct false ones.

(*a*) El Sr. García fue a la Argentina en el año 1940.
(*b*) Estuvo tres años en Buenos Aires.
(*c*) Tiene parientes en la Argentina.
(*d*) A él no le gustó mucho Buenos Aires.
(*e*) La Sra. Morales y su marido estuvieron allí dos semanas.
(*f*) También fueron al Uruguay y al Brasil.
(*g*) Los señores Morales conocieron Río de Janeiro.
(*h*) La compañía del Sr. García abrió una oficina en San Pablo hace dos años.

2 At a party you meet a young South American visitor. Complete this conversation with him. Note that he is using the familiar form, normally used among young people, even if they have not met before.

Sudamericano	¿Conoces Sudamérica?
Usted	(*Yes, you were in South America a year ago.*)
Sudamericano	¿En qué país estuviste?
Usted	(*You went to Chile first, then to Peru and Ecuador.*)
Sudamericano	¿No fuiste a Venezuela?
Usted	(*No, you didn't. From Quito you returned home.*)
Sudamericano	¿Te gustó el Perú?
Usted	(*Yes, you liked it very much, especially Machu Picchu and Cuzco.*)
Sudamericano	¿Qué te pareció Chile?
Usted	(*It seemed a nice country to you. You met a lot of people there.*)
Sudamericano	¿En qué parte de Ecuador estuviste?
Usted	(*You were in Quito and Guayaquil. But you liked Quito more. It's a much nicer city.*)

3 Sustained speaking

Give a brief talk describing a trip abroad, on holiday or on business.

¿En qué país o países estuviste/estuvo?
¿Qué ciudades visitaste/visitó?
¿Cuánto tiempo estuviste/estuvo?
¿Con quién fuiste/fue?
¿En qué viajaste/viajó?
¿Por qué fuiste/fue allí?
¿Qué país te/le gustó más?
¿Y qué ciudad? ¿Por qué?

4 Translation

You are working as a a translator for a magazine which deals with topics related to industry and commerce and you have been given a list of documents that have been published in connection with a series of recent conferences. Translate the following information into English:

25–29 abril

MERCADOTECNIA INTERNACIONAL

La Cámara Oficial de Comercio e Industria de Madrid organizó, entre los días 25 y 29 de abril, un curso sobre Mercadotecnia Internacional patrocinado por el Instituto de Reforma de las Estructuras del Ministerio de Comercio y Turismo. Asistieron delegados de cuatro países europeos, además de ocho de América Latina y el Caribe.

4–8 mayo

TRANSPORTE INTERNACIONAL

El XVII Congreso de la Unión Internacional del Transporte por Carretera tuvo lugar del 4 al 8 de mayo en Sevilla. El lema de este año fue "El transporte por carretera, pieza clave en la sociedad moderna". Las actas fueron publicadas por el Ministerio de Obras Públicas y Urbanísticas (MOPU).

5–8 mayo

CONTAMINACIÓN ATMOSFÉRICA

El Coloquio Internacional sobre la Contaminación Atmosférica se celebró en París los días 5 al 8 de mayo. Se reunieron representantes de dieciocho países y al final se expidió una declaración de principios sobre la conservación del medio ambiente y el control sobre la contaminación del mismo.

B Describing trends and making comparisons

The following report gives some information on oil production in the world. It is based on an interview with an oil expert. Study the text before you listen to the interview.

Producción de Petróleo Crudo y Líquidos del Gas Natural

La producción mundial total de petróleo crudo y líquidos del gas natural (o sea, líquidos extraídos del gas natural) aumentó en un 2 por ciento en 1994. Se produjeron 67,5 millones de barriles por día, en promedio, mientras que la producción en 1993 fue de 66,15 millones de barriles por día.

Otros países ajenos a la OPEP que aumentaron significativamente su producción fueron la Argentina, la India y el Yemen. En algunos países, como la Argentina y Venezuela, se ha promovido la privatización, lo que ha estimulado la mayor producción.

La producción continuó descendiendo en la ex-Unión Soviética a pesar de las mayores inversiones extranjeras. En 1994, la producción de esa zona fue de 7,3 millones de b/d, una disminución cercana al 7 por ciento.

En EE.UU la producción declinó desde mediados del decenio 1980–90, con excepción de un corto período de aumento durante la guerra del Golfo. En 1994, bajó en algo más de 2 por ciento a 8,6 millones de b/d.

Interview 

Pregunta ¿Puede usted decirme cuáles son las cifras de producción mundial de petróleo crudo y líquidos del gas natural para el año 1994?

Respuesta Bueno, la producción total fue apenas inferior a 67,5 millones de barriles por día, lo que representa un aumento del 2 por ciento con respecto al año anterior.

Pregunta ¿Este aumento afectó de manera similar a todos los países productores de petróleo?

Respuesta No, no. De hecho la producción descendió en la ex-URSS a pesar de las mayores inversiones extranjeras. Y hasta en EE.UU la producción bajó en algo más de 2%.

Pregunta Y ¿en América Latina?

Respuesta Bueno, en América Latina... la Argentina aumentó significativamente su producción, pero esto es porque la privatización en particular ha estimulado la producción, y en Venezuela podemos ver un proceso similar.

Biogas, Yucatán, México

Practice

1 The manager in your department has seen the introductory report on page 14 and as his Spanish is not very good, he has asked you to answer a few questions in English for him.

(*a*) How much crude oil and natural gas liquids were produced in 1994?
(*b*) How does this compare with the previous year?
(*c*) Has Argentina increased its production?
(*d*) What is the situation like in Venezuela?

2 Translation

The introductory report on page 14 will be included in an English periodical dealing with industrial development in Latin America. You have been asked to translate the text into English.

3 Reading/Writing

TURISTAS ENTRADOS EN ESPAÑA	
Por frontera hispano-francesa	44,00%
Por frontera portuguesa	19,41%
Procedentes de Marruecos (a Ceuta y Melilla)	0,96%

VIAS DE ENTRADA	
Vía terrestre	64,37%
Vía aérea	33,51%
Vía marítima	2,12%

El año pasado, la mayor parte de los turistas que entraron en España lo hicieron a través de la frontera hispano-francesa. En efecto, el 44,00 por ciento utilizaron dicho punto de entrada, frente a un 19,41 por ciento que entraron a través de la frontera portuguesa y el 0,96 por ciento que procedieron de Marruecos hacia las ciudades españolas de Ceuta y Melilla en África del Norte. Es decir, el 64,37 por ciento de personas entradas en España durante el año lo hicieron por fronteras terrestres. Por contraste, sólo un 33,51 por ciento llegaron en avión, mientras que el número de turistas que llegó por mar no alcanzó más de un 2,12 por ciento del total. Las cifras anteriores nos permiten inferir que entre los medios de transportes utilizados por los visitantes entrados en España, el automóvil tiene una gran superioridad todavía, seguido cada vez más por el avión. Los transportes marítimos, en cambio, se emplean en porcentaje muy mínimo.

Answer in Spanish

(*a*) ¿Por dónde entró la mayor parte de los turistas el año pasado?
(*b*) ¿Qué porcentaje entró a través de la frontera portuguesa?
(*c*) ¿Cuál fue la vía de acceso más utilizada?
(*d*) ¿Cuál fue la menos utilizada?

El turismo sigue siendo una importante fuente de recursos para España

Write a similar text comparing the number of tourists who entered Spain by the different routes indicated above, and the mode of transport used, without referring to actual percentages. Instead, you should use comparative phrases such as *más y más, cada vez más, superior a, inferior a, mucho más que* etc. You should also include phrases such as *mientras que, aunque, por contraste, en cambio, sin embargo, mientras tanto* etc.

Listening Comprehension 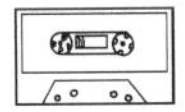

Here is a news bulletin from Radio España. Listen and choose the sentence which best summarises each news item in the programme.

1 (*a*) Los precios disminuyeron en un 5 por ciento.
(*b*) La inflación se mantuvo en un 5 por ciento anual.
(*c*) Los precios subieron en un 5 por ciento.

2 (*a*) Llegó a Venezuela el Ministro de Industria y Comercio de España.
(*b*) El Ministro de Industria y Comercio venezolano volvió a Venezuela.
(*c*) Fue recibido en España el Ministro de Industria y Comercio de Venezuela.

3 (*a*) La Universidad de Salamanca anunció el comienzo de sus cursos de verano.
(*b*) Los cursos de verano de la Universidad de Salamanca comenzaron el 15 de julio.
(*c*) El 15 de julio terminaron los cursos de verano de la Universidad de Salamanca.

4 (*a*) Los trabajadores de la salud continuaron el conflicto laboral.
(*b*) El conflicto laboral de los trabajadores de la salud terminó.
(*c*) Los trabajadores de la salud decidieron no aceptar el 6 por ciento de aumento.

5 (*a*) La Organización de Países Productores de Petróleo anunció el aumento de la producción de petróleo y el mantenimiento de los precios.
(*b*) La producción de petróleo disminuyó pero los precios se mantuvieron, informó la organización.
(*c*) La organización acordó disminuir la producción de petróleo y aumentar los precios.

6 (*a*) Hubo muchas víctimas a causa del movimiento sísmico.
(*b*) El movimiento sísmico causó daños materiales.
(*c*) Numerosas víctimas y daños materiales causó un movimiento sísmico en la América del Sur.

7 (*a*) España disminuyó sus inversiones en la América del Sur.
(*b*) La América del Sur aumentó sus capitales en España.
(*c*) La inversión española en Sudamérica aumentó de manera considerable.

Reading comprehension

A Bad living conditions, unemployment and political unrest in many parts of Latin America have been the main reason for the constant inflow of Latin American immigrants into the United States and other industrialised nations. Millions of people from Mexico, Cuba, Puerto Rico, Central America and other Spanish-speaking countries have settled in the United States. Most of these have entered the country legally, but many have managed to cross the border from Mexico into the United States without documentation, undetected by the immigration authorities. This first passage, from an article in the Spanish magazine *Cambio 16 América,* tells the story of these illegal immigrants. Read it through, and as you do so answer the questions which follow. First look at these key words:

a patadas con kicking out
ilegal (*m*) illegal immigrant
según according to
indocumentado (*m*) someone with no identity papers
detenido detained
Patrulla Fronteriza (*f*) border patrol
intentan entrar they try to get into
la mayoría lo logra most of them succeed
deportados deported
capturados caught
todos los medios every means
intentar frenar to try to stop
éxito (*m*) success

A patadas con los ilegales

En un barrio mexicano de Chicago

Según Gene McNary, comisionado del Servicio de Inmigración y Naturalización (SIN) de Estados Unidos, un millón de indocumentados, la mayoría de nacionalidad mexicana, son detenidos cada año por la Patrulla Fronteriza y cerca de siete millones de inmigrantes ilegales viven en territorio norteamericano. Cada mes, 150.000 mexicanos intentan entrar ilegalmente en EE UU. La mayoría lo logra, pero muchos de ellos son deportados después de su detención en territorio norteamericano.
Los puntos fronterizos donde se registra mayor movimiento de trabajadores ilegales son Tijuana, Nuevo Laredo y Reynosa. Sólo en esas tres ciudades son capturados 300.000 indocumentados cada año. Las autoridades norteamericanas han utilizado todos los medios para intentar frenar la avalancha de ilegales. Pero, hasta el momento han tenido poco éxito.

(Adaptación de 'A patadas con los ilegales', Cambio 16 América Nº 1.109)

1 Answer in English

(*a*) How many illegal immigrants are detained each year by the border patrol?
(*b*) How many illegal immigrants live in the United States?
(*c*) How many Mexicans try to enter the United States illegally each month?
(*d*) What happens to those who are caught?
(*e*) What have the American authorities tried to do to stop illegal immigration? Have they succeeded?

2 Translation

Translate the passage **A patadas con los ilegales** into English.

B This second passage from *Cambio 16 América* looks at living conditions and emigration in Latin America. Before you read the text, look at these key words, then answer the questions which follow.

debajo de la línea de la pobreza below the poverty line
lo que supone which means
aumento (*m*) increase
condiciones de vida (*fpl*) living conditions
han obligado have forced
dejar to leave
buscar fortuna to try one's luck
desplazamiento (*m*) emigration
fuerza de trabajo (*f*) labour force

A la puerta de la prosperidad

América Latina tiene 196 millones de personas que están por debajo de la línea de la pobreza, es decir, un 45,9 por ciento del total, lo que supone un aumento del 2,5 por ciento desde 1986. En los últimos dos años, las malas condiciones de vida han obligado a más de 200.000 personas a dejar sus países para buscar fortuna en otros. Además, el desplazamiento del campo a la ciudad es un fenómeno irreversible, con alta participación femenina en la fuerza de trabajo, que en América Latina y el Caribe es de casi un 30 por ciento.

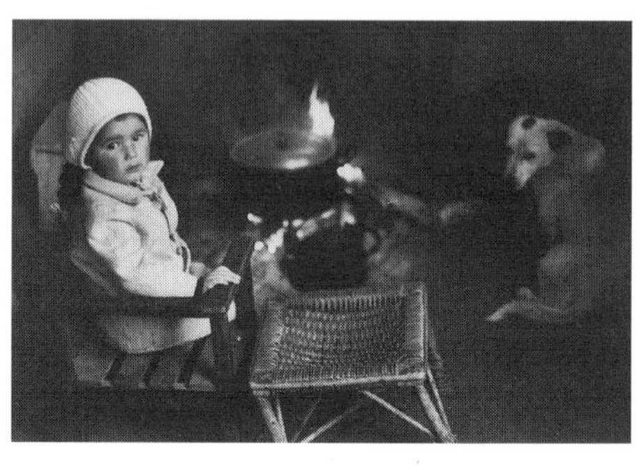

Millones de latinoamericanos viven en condiciones de extrema pobreza

(from 'A la puerta de la prosperidad', Cambio 16 América, Nº 1.163)

1 Complete the table below with figures from the passage

Número y porcentaje de latinoamericanos que viven por debajo de la línea de la pobreza.	____	____%
Número de personas que emigraron a otros países en los últimos dos años.	____	
Participación femenina en la fuerza de trabajo en América Latina y el Caribe.	____%	

Summary

A Asking and answering questions about past events

¿Estuvieron en algún otro país? — *Were you in any other country?*
Sí, también fuimos a Venezuela. — *Yes, we also went to Venezuela.*

B Describing trends

La producción mundial aumentó en un 2 por ciento en 1994. — *World production grew by 2% in 1994.*

Hasta en los Estados Unidos la producción bajó. — *Even in the U.S. production fell.*

C Making comparisons

Se produjeron 67,5 millones de barriles por día, mientras que la producción de 1993 fue de 66,15 millones. *67.5 million barrels per day were produced, whilst production in 1993 was 66.15.*

En algunos países, tanto la Argentina como Venezuela, se ha promovido la privatización.
In some countries, Argentina as well as Venezuela, privatisation has been pushed.

Grammar

1 Conocer (present tense)

c > zc

Verbs ending in **-cer** and **-cir** add a **z** in the first person singular:

¿Conoce usted la Argentina?	*Do you know Argentina?*
Sí, cono**zco** Buenos Aires.	Yes, *I know Buenos Aires.*

See Unit 3, page 34 for a list of similar verbs.
See also pages 97 and 117 for other examples of this form.

2 The preterite tense (irregular verbs)

There do appear to be a lot of irregular verb forms to learn in Spanish. In practice they tend to come from the same verbs, or their derivatives (**tener, contener, mantener, sostener** etc.) There is no easy way to remember them – they just have to be learnt!

These are the most common irregular forms for the preterite:

conducir (*to drive*) **conduje, condujiste, condujo, condujimos, condujisteis, condujeron**

decir (*to say, to tell*) **dije, dijiste, dijo, dijimos, dijisteis, dijeron**

estar (*to be*) **estuve, estuviste, estuvo, estuvimos, estuvisteis, estuvieron**

haber (*to have*: auxiliary verb) **hube, hubiste, hubo, hubimos, hubisteis, hubieron**

ir (*to go*) **fui, fuiste, fue, fuimos, fuisteis, fueron**

poder (*to be able*) **pude, pudiste, pudo, pudimos, pudisteis, pudieron**

poner (*to put*) **puse, pusiste, puso, pusimos, pusisteis, pusieron**

querer (*to want*) **quise, quisiste, quiso, quisimos, quisisteis, quisieron**

saber (*to know*) **supe, supiste, supo, supimos, supisteis, supieron**

ser (*to be*) same as **ir**

tener (*to have*) **tuve, tuviste, tuvo, tuvimos, tuvisteis, tuvieron**

traer (*to bring*) **traje, trajiste, trajo, trajimos, trajisteis, trajeron**

Note the lack of accents in the first and third person singular.

3 Linking phrases for contrastive sentences

mientras que	*whilst*
a pesar de (que)	*although, in spite of the fact (that)*
aunque	*although*
por contraste	*in contrast*
en cambio	*on the other hand*

La producción venezolana bajó **mientras que** la mexicana aumentó.
Venezuelan production fell whilst Mexican production increased.

A **pesar de que** la demanda aumentó, la producción bajó.
Although demand increased, production went down.

En 1994 se produjeron 67,5 millones de barriles. **En cambio**, en 1993 se produjeron 66,15 millones.
In 1994 67.5 million barrels were produced. On the other hand, 66.15 million were produced in 1993.

Por contraste, sólo un 33,51% de los turistas llegaron en avión, **mientras que** el número que llegó por mar no alcanzó más que un 2,12% del total.
By contrast only 33.51% arrived by aircraft, whilst the number that came by sea did not reach more than 2.12% of the total.

México obtuvo su independencia en 1810, **aunque** ésta no fue reconocida por España hasta 1821.
Mexico obtained its independence in 1810, although this was not recognised by Spain until 1821.

4 Hace used for past reference

Note the use of **hacer** in this construction referring to past time:

Estuve en Buenos Aires **hace** tres años.	*I was in Buenos Aires three years ago.*
Nuestra compañía abrió una oficina allí **hace** un año.	*Our company opened an office there a year ago.*

(See also Unit 3, page 33.)

5 Por

Por is used to mean *by* or *through*:

El transporte **por** carretera.	*Transport by road.*
El 64,37 por ciento entró **por** fronteras terrestres.	*64,37% came through land borders.*

Por is used with the passive:

La independencia fue reconocida **por** el gobierno español.
Independence was recognised by the Spanish government.
(See also Unit 1, page 10.)

It is also used to mean *per*:

El cinco **por** ciento.	*Five per cent.*
Se produjeron 67,5 millones de barriles **por** día.	*67.5 million barrels were produced per day.*

Note that in Mexico the full point (**punto**) is used in decimals (67.5) rather than the comma (**coma**) which is used in Spain and some other Latin American countries (67,5).

Tlaloc: el dios azteca de la lluvia, Ciudad de México

Unidad 3

Iba al trabajo en coche

What you will learn in this unit

- To talk about what you used to do
- To describe something in the past
- To say how long you have been doing something

A Talking about what you used to do and how long you have been doing something

Dialogue 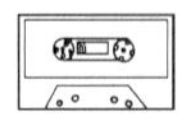

Before Angela Rodríguez, manager of a travel firm, joined Turismo Iberia in Madrid, she used to work for a small travel agency in Majorca. This is a conversation between her and an acquaintance who is going to work in Majorca.

Conocido ¿Cuánto tiempo hace que trabajas en Turismo Iberia?

Angela Trabajo aquí desde hace tres años y medio.

Conocido ¿Dónde trabajabas antes?

Angela En Mallorca. Estaba a cargo de una pequeña agencia de viajes.

Conocido ¿En qué parte de Mallorca vivías?

Angela Vivía en las afueras de Palma, a unos diez kilómetros de la ciudad. Iba al trabajo en el coche todos los días.

Conocido	¿Te gustaba el trabajo que hacías allí?
Angela	Sí, me gustaba mucho, pero me hacía ilusión volver a Madrid. Echaba de menos el ambiente de aquí.
Conocido	¿Y cuánto tiempo llevas en Madrid?
Angela	Casi cuatro años.

Practice

1 Answer in Spanish

(*a*) ¿Cuánto tiempo hace que Angela trabaja en Turismo Iberia?
(*b*) ¿Dónde trabajaba antes?
(*c*) ¿Qué hacía allí?
(*d*) ¿Dónde vivía?
(*e*) ¿En qué iba al trabajo?
(*f*) ¿Le gustaba el trabajo que hacía allí?
(*g*) ¿Por qué decidió volver a Madrid?
(*h*) ¿Cuántos años lleva en Madrid?

2 You are attending a job interview in a Spanish-speaking country and you are asked to provide some information about your career. Here are some of the questions you are expected to answer:

(*a*) ¿A qué se dedica usted actualmente?
(*b*) ¿Hace cuánto tiempo que se dedica a esta actividad?
(*c*) ¿Qué hacía antes? ¿Trabajaba o estudiaba?
(*d*) ¿Estaba satisfecho/a con la actividad que realizaba?
(*e*) ¿Cuál es su dirección actual?
(*f*) ¿Cuánto tiempo lleva en esa dirección?
(*g*) ¿Dónde vivía usted antes?

3 Sustained speaking

(**i**) Give a brief talk about a period spent in a city or country, on holiday or business, using these questions as a guideline. Use *tú* or *usted* as you prefer.

(*a*) ¿Cómo se llama la ciudad (o el país) a donde fuiste/fue?
(*b*) ¿Qué hacías/hacía allí?
(*c*) ¿Estabas/estaba solo(a) o acompañado(a)?

(*d*) ¿Estabas/estaba en un hotel, con amigos, etc.?
(*e*) ¿Qué es lo que querías/quería conocer?

(**ii**) Now work out the questions asked to draw out the following answers, using *tú* or *usted*:

(*a*) Me levantaba a las 8 todos los días.
(*b*) Durante el día tomaba el sol, iba a la playa o dormía.
(*c*) Por las tardes tomaba una siesta o tomaba alguna excursión.
(*d*) Los fines de semana viajaba siempre para conocer otros sitios.
(*e*) Iba al campo de vez en cuando.

B Past description

Dialogue

Listen to the description Angela gives of the travel agency where she used to work.

Conocido ¿Cómo era la agencia donde trabajabas?

Angela Era bastante pequeña. Tenía solamente seis empleados y había un ambiente de trabajo muy agradable.

Conocido ¿En qué parte de Palma estaba?

Angela Estaba en el centro, cerca de la Plaza España. Teníamos solamente dos habitaciones grandes en la planta baja de un edificio donde había varias oficinas más.

Conocido ¿Era muy caro el alquiler?

Angela No, no resultaba muy caro porque estábamos allí desde hacía varios años. Pero, en general, los alquileres en ese sector son bastante altos.

Conocido Me imagino que teníais muchos clientes. ¿no?

Angela Pues, aparte de los clientes habituales, que no eran muy numerosos, había suficiente demanda durante la mayor parte del año. ¿Conoces a alguien en Palma?

Conocido No, no conozco a nadie.

Angela Si quieres te puedo dar la dirección de algún amigo. Conozco a mucha gente allí.

Conocido Bueno. Te lo agradezco mucho.

Angela Espera un momento. Ya vuelvo.

Practice

1 Using the information provided by Angela, write one descriptive sentence in each of the boxes below, as in the example.

Tamaño de la agencia	Era bastante pequeña
Nº. de empleados	
Tipo de ambiente	
Situación de la agencia	
Nº. de habitaciones	
Situación de las habitaciones	
El alquiler	
Los clientes	

2 Sustained speaking

You are talking to a friend about a hotel where you had a vacation job. Answer his questions from the details given here:

(*a*) ¿Cómo se llamaba el hotel?
(*b*) ¿Dónde estaba?
(*c*) ¿Cuántas habitaciones tenía?
(*d*) ¿Tenía aire acondicionado?
(*e*) ¿Había algún centro de convenciones?
(*f*) ¿Había piscina?

HOTEL PURUA HIDALGO

250 habitaciones, 4 suites. Aire acondicionado. Música. Cafetería. Restaurantes. Bares. Centro nocturno "Las Delicias". Salón para banquetes y centro de convenciones para 150 personas. Estacionamiento y todos los servicios.

Colón 27. Esq. Paseo de la Reforma. Reservaciones: 585-43-44.

3 Writing

Read this description of a hotel:

El Hotel El Libertador de Caracas era un hotel de 5 estrellas, que estaba en el centro de la ciudad. En el Hotel Libertador había 120 habitaciones dobles, 30 individuales y 10 suites. Todas las habitaciones tenían baño privado, teléfono y televisión. En el hotel había 2 bares y 3 restaurantes, una piscina, una sauna y una peluquería. El Hotel El Libertador era cómodo y muy elegante.

Now write something similar about the Hostal San Pedro:

Nombre	Hostal San Pedro
Ciudad	Sitges
Categoría	2 estrellas
Situación	50 metros de la playa
Habitaciones	30 dobles y 5 individuales (lavabo, ducha)
Servicios	1 bar y 1 comedor
Características	Pequeño, económico

4 Ad hoc interpreting 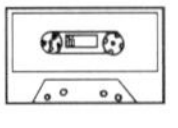

You are with a group of English speakers in a Latin American country. One of the people in the group leaves a briefcase with some rather important documents in a taxi. As his Spanish is not very good you go with him to the Lost Property Office to report the loss. You must act as an interpreter between him and the Spanish-speaking employee. Listen to the text of the conversation and interpret after each person has spoken.

5 Oral situation

Get together with one or two students and make up conversations similar to the one in the interpreting passage, in Spanish or in English and Spanish, with one of you acting as the interpreter. Imagine that you have lost (a) *una máquina fotográfica* (a camera) (b) *una maleta* (a suitcase) (c) *un bolso* (a handbag)

Listening comprehension 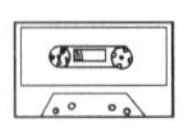

Listen to these two conversations which take place in a travel agency.

(*a*) A customer telephones to change a reservation. Complete the table below with details of his original reservation and of the changes he wishes to make.

Name of passenger	Joaquín Peralta
Destination	
Date of original reservation	
Single/return	
Date of new reservation	
Time of flight	

(*b*) A customer comes in to make a complaint. Write a note in English explaining to a third person the nature of the complaint.

Reading comprehension

In the following paragraphs you will read about the Incas, the old inhabitants of Peru, and their empire, conquered by the Spanish *conquistadores* in the XVI century. First, look at these key words which will help you to understand the text and answer the questions which follow it.

A El Imperio Inca

en aquella época at that time
comprendían they covered
camino (*m*) road
fortaleza (*f*) fortress
eran de piedra they were made of stone
muro (*m*) wall
cimientos (*m pl*) foundations
edificación (*f*) building
construyeron they built
vivienda (*f*) home
mezcla (*f*) mixture

El Imperio de los incas conquistado por los españoles en el siglo XVI tenía, en aquella época, una extensión de dos millones de kilómetros cuadrados. Sus dominios comprendían la actual Bolivia, parte de Argentina y de Chile, el Perú, el Ecuador y parte de Colombia. El centro político, militar y religioso del Imperio era el Cuzco. Del Cuzco salían los caminos que se extendían por todo el Imperio. En la

Arquitectura colonial peruana

ciudad había magníficos palacios, grandes templos y fortalezas. Las construcciones eran de piedra y estaban adornadas con objetos de oro y de plata. Sobre los muros y cimientos de estas edificaciones los españoles construyeron sus propios templos y viviendas. Hoy el Cuzco conserva casi intacto su pasado histórico, mezcla de lo incaico y lo hispánico.

1 Answer in Spanish

(*a*) ¿Cuándo fue conquistado el Imperio Inca por los españoles?
(*b*) ¿Qué extensión tenía el Imperio?
(*c*) ¿Cuál era la capital o centro más importante?
(*d*) ¿De qué estaban hechas las construcciones?
(*e*) ¿Con qué estaban adornadas?
(*f*) ¿Dónde construyeron los españoles sus templos y viviendas?

B El Cuzco de hoy

debido a due to
altura (*f*) altitude
andar to walk

La antigua capital del Imperio Inca se encuentra a 3.500 metros de altura y tiene una población de 150.000 habitantes aproximadamente, la mayoría de ellos indígenas. Debido a la altura, aquéllos que visitan la ciudad necesitan algunas horas para adaptarse. Al llegar se recomienda no beber alcohol, comer poco y andar lentamente.
El Cuzco está a 1.838 km de Lima, vía Arequipa, la ciudad más importante en el sur del Perú. El viaje es largo y pintoresco y se tarda dos o tres días por carretera. Para los que prefieren la rapidez hay vuelos directos desde Lima diariamente.

1 Fill in this table with information from the passage **El Cuzco de hoy**.

EL CUZCO	
Altura	
Población	
Distancia a Lima	
Recomendaciones a los turistas que visitan la ciudad	

C Machu Picchu

en lo alto de at the top of
permaneció oculto it remained hidden
se encontraron were found

A 42 km del Cuzco, en lo alto de una montaña, se encuentran las impresionantes ruinas de Machu Picchu. Machu Picchu escapó a los conquistadores españoles y durante siglos permaneció oculto en la selva hasta su descubrimiento por el norteamericano Hiram Bingham en el año 1911. Allí se encontraron magníficos templos, palacios, terrazas, fuentes, relativamente bien conservados. El Cuzco y Machu Picchu son un importante centro de atracción turística en el Perú.

1 Translation

Translate into English the passage **Machu Picchu**.

Summary

A Talking about what you used to do

¿En qué parte de Mallorca vivías?	*Which part of Majorca did you live in?*
Vivía en las afueras de Palma.	*I lived on the outskirts of Palma.*

B Describing something in the past

¿Cómo era la agencia donde trabajabas?	*What was the agency like where you worked?*
Era bastante pequeña.	*It was fairly small.*

C Saying how long you have been doing something

¿Cuánto tiempo hace que trabajas en Turismo Iberia? *How long have you been working at Turismo Iberia?*

Trabajo aquí desde hace tres años y medio/Hace tres años y medio que trabajo aquí. *I've been working here for three-and-a-half years.*

¿Cuánto tiempo llevas en Madrid? *How long have you been in Madrid?*

Llevo cuatro años aquí/Llevo cuatro años viviendo en Madrid. *I've been here four years/I've been living in Madrid for four years.*

Grammar

1 The imperfect tense (regular verbs)

-ar verbs	**-er** verbs	**-ir** verbs
trabajar	**tener**	**vivir**
trabaj**aba** trabaj**abas** trabaj**aba** trabaj**ábamos** trabaj**abais** trabaj**aban**	ten**ía** ten**ías** ten**ía** ten**íamos** ten**íais** ten**ían**	viv**ía** viv**ías** viv**ía** viv**íamos** viv**íais** viv**ían**

The imperfect refers to events that were habitual or took place over a long (and unspecified) period of time:

Antonio **trabajaba** en Mallorca. *Antonio used to work in Majorca.*

Angela **vivía** en las afueras de Palma. *Angela used to live on the outskirts of Palma.*

La agencia **tenía** seis empleados. *The agency had six employees.*

Compare this with the use of the preterite (see Unit 1, page 9) which refers to a single or completed event:

Los romanos **estuvieron** en España durante cuatro siglos. *The Romans were in Spain for four centuries.*

Estaban comiendo cuando yo **entré**. *They were eating when I came in.*

2 Imperfect tense of ser and ir (irregular verbs)

There are relatively few irregular forms of the imperfect, but these two are very common:

ser
era **eras** **era** **éramos** **erais** **eran**

ir
iba **ibas** **iba** **íbamos** **ibais** **iban**

El hotel **era** cómodo. *The hotel was comfortable.*

Era un hotel de cinco estrellas. *It was a five-star hotel.*

Iba al trabajo en el coche. *I used to go to work in the car.*

3 Hace (used to refer to a continuous action)

¿**Cuánto tiempo hace** que trabajas en Turismo Iberia? *How long have you been working for Turismo Iberia?*

Hace un año que trabajo aquí. *I've been working here for a year.*

Notice that **hacer** is used in the imperfect tense when you want to refer to something in the remote past:

¿**Hacía muchos años** que estabais allí? *Had you been there for many years?*

Hacía varios años que estábamos allí. *We had been there for some years.*

Notice a similar construction using **desde hace**:

Trabajo aquí **desde hace tres años.** OR
Hace tres años que trabajo aquí. *I've been working here for three years.*

Hacía varios años que estábamos allí. OR
Estábamos allí **desde hacía varios años**. *We had been there for some years.*

See also Unit 2, page 22 for other uses of **hace** with phrases of time.

4 Llevar used in expressions of time

Llevar can also be used:

¿**Cuánto tiempo llevas** viviendo en Madrid? *How long have you been living in Madrid?*

Llevo cuatro años viviendo en Madrid. *I've been living in Madrid for four years.*

¿**Cuánto tiempo lleva** usted en esta empresa? *How long have you been in this company?*

Llevo dos meses en esta empresa. *I've been in this company for two months.*

5 Personal *a*

Spanish adds **a** after the verb when referring to people:

¿Has visto **a** Roberto?	*Have you seen Robert?*
Conozco **a** mucha gente en Córdoba.	*I know a lot of people in Córdoba.*
No conozco **a** nadie aquí	*I don't know anyone here.*

But notice that **a** is not added where the person referred to is non-specific:

¡Busca un médico, pronto!	*Get a doctor quickly.*

6 Indefinite and negative pronouns: alguien and nadie

¿Conoce usted a **alguien**?	*Do you know anyone?*
No conozco a **nadie**.	*I don't know anybody.*
¿Hay **alguien** aquí?	*Is there anybody here?*
No, aquí no hay **nadie**.	*No, there's nobody here.*

7 Agradecer (present tense indicative)

This follows the same pattern as **conocer** in Unit 2, page 21:

c > zc

(Él) le agradece a Angela.	*He is grateful to Angela.*
(Yo) le agrade**zc**o mucho.	*I'm grateful to you.*

Other common verbs with a similar change in the first person singular in the present tense indicative are:

carecer (*to lack*), **conocer** (*to know*), **conducir** (*to drive*), **crecer** (*to grow*), **desaparecer** (*to disappear*), **desconocer** (*to disown*), **desobedecer** (*to disobey*), **enriquecer** (*to enrich*), **envejecer** (*to age*), **establecer** (*to establish*), **favorecer** (*to favour*), **introducir** (*to introduce*), **obedecer** (*to obey*), **ofrecer** (*to offer*), **parecer** (*to seem*), **permanecer** (*to remain*), **pertenecer** (*to belong*), **producir** (*to produce*), **reconocer** (*to recognise*), **traducir** (*to translate*).

See also Unit 8, page 97 and Unit 9, page 117.

Unidad 4

Está ocupado

What you will learn in this unit
- To talk about present actions
- To describe a state or condition
- To talk about regulations

A Talking about present actions and describing a state or condition

Dialogue 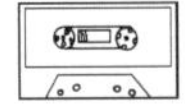

John Dean, an American businessman, telephones Comercial Hispana and asks to speak to Sr. García.

Telefonista Comercial Hispana. ¿Dígame?

Sr. Dean Quiero la extensión 456, por favor.

Telefonista El número está comunicando. ¿Quiere usted esperar?

Sr. Dean Sí, está bien.

Secretaria La secretaria del señor García. ¿Dígame?

Sr. Dean Buenos días. Soy John Dean, de Chicago. Quisiera hablar con el señor García.

Secretaria El señor García no está en su despacho. Está comiendo con unos clientes. ¿Quiere usted dejarle algún recado?

Sr. Dean En realidad quería hablar con él personalmente antes de irme a Chicago.

Secretaria ¿Cuándo se va usted?

Sr. Dean	Me voy mañana por la noche.
Secretaria	Un momento, que voy a ver su agenda. (*Looking at Sr. García's diary.*) ¿Sr. Dean?
Sr. Dean	Sí, ¿dígame?
Secretaria	Mañana por la mañana es imposible. Está ocupado aquí en la oficina hasta las once y luego está invitado a una reunión en la Cámara de Comercio. Si gusta puede venir usted a las dos. ¿Le parece bien?
Sr. Dean	Perfectamente. Hasta mañana, entonces.

Practice

1 Answer in Spanish

(*a*) ¿Con quién quiere hablar el Sr. Dean?
(*b*) ¿Está el Sr. García en su despacho?
(*c*) ¿Qué está haciendo?
(*d*) ¿Cuándo se va a Chicago el Sr. Dean?
(*e*) ¿Por qué es imposible hablar con el Sr. García mañana por la mañana?
(*f*) ¿A qué hora está libre?

2 Match each phrase with the corresponding picture:

(*a*) Está comiendo con una cliente.
(*b*) Estoy escribiendo a máquina.
(*c*) Están hablando por teléfono.
(*d*) Estamos bebiendo café.

3 Comprehension

Describe this picture and the activities in which the people are engaged. For example: *Este chico está subiendo al tren... el chico aquí está consultando un mapa...*

4 Sustained speaking

Your boss comes in this morning and wants to know whether certain things have been done. Look at the list below and answer affirmatively (*sí*) or negatively (*no*) as in the examples below.

¿Está reparado el ordenador? (*Sí*)
Sí, ya está reparado.
¿Está terminado el informe para la reunión de hoy? (*No*)
No, todavía no está terminado.

Continúe:
(*a*) ¿Están enviadas las invitaciones para la recepción? (*Sí*)
(*b*) ¿Está despachado el pedido para la papelería? (*No*)
(*c*) ¿Está reservada la habitación en el hotel? (*Sí*)
(*d*) ¿Está pagada la cuenta del teléfono? (*Sí*)
(*e*) ¿Están embaladas las mercancías que hay que enviar a Caracas? (*No*)
(*f*) ¿Está terminada la huelga? (*No*)

5 A telephone conversation

Student A: You are secretary to Mr Martin Bale who has asked you not to pass any calls to him today as he is very busy. A Spanish speaker telephones Mr Bale but you have to find some good excuses for not being able to put the caller through to him. Mr Bale will not be available the next day in the morning as he has an invitation to attend a meeting at the Town Hall. He is free in the afternoon from 2.00 to 3.00.

Student B: You are staying in London for a few days and decide to see Mr Bale, manager of a firm with which you have done some business in the past. You telephone to make an appointment but his secretary informs you that Mr Bale is not available that day. As you are going back home in two days' time you must try to make an appointment to see Mr Bale the following day.

Some useful words and phrases:

lo siento, pero... I'm sorry, but ...
asistir a una reunión to attend a meeting
el Ayuntamiento the Town Hall
está libre he's free
pasado mañana the day after tomorrow
concertar una cita **to** fix an appointment

B Talking about regulations

Dialogue 

John Dean has parked in the wrong place. A policeman comes up to him.

Policía ¿Es suyo este coche?

Sr. Dean Sí, es mío.

Policía ¿No sabe usted que está prohibido aparcar en esta calle?

Sr. Dean Perdone usted, no sabía. Es la primera vez que conduzco en Madrid. ¿Se puede dejar el coche en la próxima calle?

Policía No, allí tampoco está permitido aparcar. Mire, al final de esta calle, en la Plaza Santa Ana, allí hay un aparcamiento.

Sr. Dean Gracias.

Practice

1 Translation

Your company often sends staff to Mexico for long periods of time. To avoid any misunderstanding with Mexican Customs Officials you have been asked to translate the following information regarding items which may be brought in by residents without paying duties. Give the English equivalent of each item listed.

DELE LA ESPALDA AL CONTRABANDO

Usted tiene franquicia para introducir su equipaje al País, libre de impuestos y requisitos especiales, siempre y cuando esté compuesto de su guardarropa y artículos de aseo de uso personal.

Hay artículos que sí se pueden traer del extranjero; pero hay otros que no. El propósito de este folleto es informarle acerca de estas limitaciones, para que pueda realizar su viaje de regreso sin contratiempos. Si hace sus compras de acuerdo con las listas que aparecen en este mismo folleto, se evitará problemas. De otra manera, al pasar la revisión aduanera, puede sufrir momentos penosos, si trae artículos no permitidos en su equipaje.

DAMAS

- 6 vestidos o conjuntos de vestir
- 3 blusas
- 3 faldas o pantaloncillos
- 6 pares de medias
- 2 camisones o pijamas
- 2 bolsas de mano

VARONES

- 4 trajes
- 6 camisas
- 2 pantalones
- 6 pares de calcetines
- 6 corbatas
- 2 pijamas

AMBOS

- 2 pares de zapatos
- 1 par de chinelas (pantuflas)
- 1 abrigo o estola o chaqueta, que no sea de piel natural
- 1 impermeable o gabardina
- 3 suéteres
- 10 prendas de ropa interior de cualquier clase
- 2 trajes de baño o pantaloncillos
- 1 paraguas o sombrilla
- 1 sombrero
- 6 pañuelos
- 1 par de guantes

- Hasta 20 libros.
- Los instrumentos, útiles o herramientas de los profesionales, obreros o artesanos, cuyo peso en conjunto no exceda de 20 kilos.
- Un artículo deportivo o equipo individual de deporte.
- Los adultos, hasta 20 cajetillas de cigarros o 2 cajas de puros.
- Hasta 500 gramos de dulces con exclusión de chocolates.

2 At sight translation

A representative from your company is travelling to Chile and on the way he would like to stop in Argentina for two days to visit some friends. He wants to know whether he needs a visa. Translate this text orally for him.

TRANSITO SIN VISA

Está permitido para los ciudadanos de todos los países si tienen documentación en orden para entrar a otro país y pasaje con reserva confirmada para salir dentro de las 48 horas, excepto ciudadanos de países determinados*, quienes pueden hacer tránsito sin visa si salen del mismo aeropuerto dentro de las 24 horas de la llegada*. (Es preferible comunicarse con el Consulado para informarse de los países que figuran actualmente en la lista.)

3 Translation

One of your senior staff in Britain will be posted to Buenos Aires for two years. He will travel first with his wife and will be followed shortly by his 15-year-old son, who is still at school. He is not sure what documents the child needs. He has only just started to learn Spanish and has asked *you* to translate the following text for him:

Los menores que viajan solos o con un adulto que no es su tutor legal deben tener una autorización escrita firmada por el padre o tutor legal y visada por el Cónsul argentino. Si esta autorización está incluida en el pasaporte no se necesita un documento aparte. Tampoco necesitan esta autorización los menores con pasaporte de EE.UU de América.

Listening comprehension

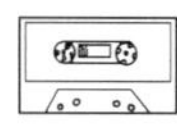

Angela Rodríguez of Turismo Iberia is talking to a client who is travelling to Venezuela on holiday. Listen to their conversation and then answer the questions which follow.

(*a*) What does the traveller need to obtain a tourist card?
(*b*) Where can he get it?
(*c*) What sort of ticket does he need?
(*d*) Are Customs regulations in Venezuela different from those of other countries?
(*e*) Is there any restriction with regard to the amount of foreign currency a traveller can import or export?
(*f*) Where can the client get information about the current rate of exchange?

Reading comprehension

A In Spain, as in many other countries, consumers have to pay VAT for their purchases. In Spain, this is known as *el IVA*, or *el impuesto al valor añadido* (value added tax). In this extract from a leaflet published by an official consumer body in Spain, consumers are warned about unjustified price increases due to the application of VAT. What exactly does the leaflet say about prices and VAT and what must the consumer do? Look at these key words first before reading the text.

incrementar to increase
consumidor (*m*) consumer
alza (*m*) increase
subir to go up
razón (*f*) reason
coste (*m*) cost
ya que since, as
entre los que se encuentran amongst which we find
aceite de soja (*m*) soya oil
por consiguiente therefore
intervenir to intervene
juego (*m*) movement
con motivo de because of, due to
pretender to try to
papel (*m*) role
economía de mercado (*f*) market economy
por lo tanto therefore
eligiendo choosing
informarse to get information
dar cuenta a to report, to inform
publicidad engañosa (*f*) misleading advertising

Los precios y el IVA

El IVA, con carácter general, **no incrementa los precios**. El consumidor no debe admitir alzas de precios que se justifiquen por la aplicación del IVA.

Los precios **pueden subir por otras razones** (incremento de costes, inflación...), ya que son libres, excepto algunos casos –muy pocos–, entre los que se encuentran la leche pasteurizada, el azúcar, el aceite de soja y ciertas clases de pan. Por consiguiente, la Administración no puede intervenir en su libre juego.

Otra cosa es que, con motivo de la aplicación del IVA, **se pretenda justificar un alza de los precios de un modo indiscriminado,** argumento que el consumidor no debe aceptar.

¿Qué debe hacer el consumidor?

- Asumir plenamente el papel que le corresponde en una economía de mercado y, por lo tanto, **comparar siempre productos y calidades,** eligiendo los más baratos para igual calidad.
- **Informarse y dar cuenta** a las Oficinas Municipales de Información al Consumidor cuando se anuncien incrementos de precios por efecto del IVA. Podría tratarse de **publicidad engañosa** y ser, por consiguiente, objeto de sanción.

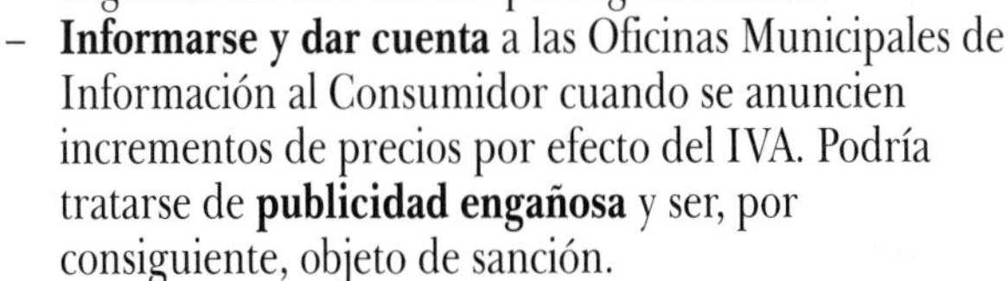

(Instituto Nacional del Consumo, Secretaría General para el Consumo, Ministerio de Sanidad y Consumo, Madrid)

1 Translation

Translate the leaflet into English.

B While on business in Spain, you will be travelling from Barcelona to Madrid and from there to Seville by train. Read the following extract from a leaflet, published by a consumer organisation, which gives useful information for people using the Spanish railway network. First, look at these key words, then answer the questions which follow.

billete (*m*) ticket
anticipación (*f*) advance
ferrocarril (*m*) railway
anulado cancelled
devolución (*f*) reimbursement
importe (m) value
según according to
tiempo de antelación (*m*) time in advance
anulación (*f*) cancellation
tarifa (*f*) fare
en función de according to
despacho de billetes (*m*) ticket office
peso (*m*) weight
equipaje (*m*) luggage
pasar de to exceed
rebasar to exceed
viajero (*m*) traveller
unir to stick, to tie
bulto (*m*) piece of luggage
facturado registered
etiqueta (*f*) label

VIAJAR EN TREN

El billete se podrá adquirir con una anticipación máxima de 60 días y mínima de 10 minutos en los puntos de venta propios del ferrocarril o en los autorizados. Podrá ser anulado hasta 15 minutos antes de la salida con devolución del 75 al 90% de su importe según el tiempo de antelación con que se haga la anulación.

Las tarifas varían en función de la fecha y otras circunstancias (ida y vuelta, etc) de lo que existirá información completa al público en las estaciones y despachos de billetes.

El peso máximo de los equipajes no pasará de 80 Kg. por billete y no rebasará el límite de 2,5 metros. El viajero unirá a cada bulto facturado una etiqueta en la que se indicará la estación de destino, su nombre y dirección.

(Oficina Municipal de Información al Consumidor, Toledo)

1 Answer in English

(*a*) When can you purchase your ticket?
(*b*) If you wish to cancel your ticket, when should you do this?
(*c*) What percentage of the value of your ticket will you get back? What does this depend on?
(*d*) What does the fare depend on?
(*e*) What is the maximum weight you can carry?
(*f*) What instruction is given about luggage labelling?

Summary

A Talking about present actions

El número 456 está comunicando.	*Extension 456 is engaged.*
El señor García está comiendo con unos clientes.	*Señor García is dining with clients.*
Estoy escribiendo a máquina.	*I'm typing.*

B Describing a state or condition

El señor García está ocupado.	*Señor García is busy.*
La máquina de escribir ya está reparada.	*The typewriter is already repaired.*
El informe todavía no está terminado.	*The report isn't finished yet.*

C Talking about regulations

Está prohibido aparcar en esta calle.	*Parking is prohibited in this street.*
Allí tampoco está permitido aparcar.	*Parking's not allowed there either.*

El tránsito sin visa está permitido para los ciudadanos de todos los países.
Transit without a visa is allowed for citizens of all countries.

Grammar

1 Estar + present participle

	(**-ar** verbs)	(**-er** verbs)	(**-ir** verbs)
estoy	trabaj**ando**	com**iendo**	escrib**iendo**
estás	trabaj**ando**	com**iendo**	escrib**iendo**
está	trabaj**ando**	com**iendo**	escrib**iendo**
estamos	trabaj**ando**	com**iendo**	escrib**iendo**
estáis	trabaj**ando**	com**iendo**	escrib**iendo**
están	trabaj**ando**	com**iendo**	escrib**iendo**

Estar is used in this construction to express an ongoing or continuous process:

Está trabajando. *He/she is working.*

Estamos comiendo. *We are eating.*

Estáis escribiendo. *You are writing.*

See also Unit 6, page 73.

2 Estar + past participle

The past participle is made up of the verb stem plus **-ado** in the case of **-ar** verbs, and **-ido** for **-er** and **-ir** verbs.

Note that the past participle is made to agree with the subject:

(Yo) estoy ocup**ado**. *I am busy.*
(Ella) está ocup**ada**. *She is busy.*
(Nosotros) estamos ocup**ados**. *We are busy.*
La habitación está reserv**ada** (**-ar** verbs). *The room is booked.*
Las cartas están respond**idas** (**-er** verbs). *The letters are answered.*
El material está ped**ido** (**-ir** verbs). *The material is requested.*
La huelga está termin**ada**. *The strike is over.*
¿Están paga**das** las cuentas?. *Are the bills paid?.*
Las mercancías ya no están despacha**das**. *The goods are not yet despatched.*

See Units 1, page 10, and 5, page 63 for further uses of the past participle.

3 Irregular past participles

abrir: **abierto** (*open*)	morir: **muerto** (*dead*)
cubrir: **cubierto** (*covered*)	poner: **puesto** (*put*)
descubrir: **descubierto** (*discovered*)	romper: **roto** (*broken*)
decir: **dicho** (*said*)	soltar: **suelto** (*released*)
escribir: **escrito** (*written*)	ver: **visto** (*seen*)
hacer: **hecho** (*done*)	volver: **vuelto** (*returned*)
imprimir: **impreso** (*printed*)	

Note that related verbs follow the same pattern: volver – **vuelto**; devolver – **devuelto** (given back); resolver – **resuelto** (resolved).

4 Possessive adjectives and pronouns

These indicate ownership or possession:

mi coche (*my car*)	**mío** (*mine*)	**el mío**
tu coche (*your car*)	**tuyo** (*yours*)	**el tuyo**
su casa (*his/her/your house*)	**suyo** (*his/hers/ yours*)	**la suya**
nuestros clientes (*our clients*)	**nuestro** (*ours*)	**los nuestros**
vuestras oficinas (*your offices*)	**vuestro** (*yours*)	**las vuestras**
su empresa (*your/their business*)	**suyo** (*theirs/yours*)	**la suya**

5 Tampoco

Tampoco (*neither*) is the opposite of **también** (*as well*):

Allí **tampoco** está permitido aparcar. *You can't park there either.*

Tampoco necesitan esta autorización los menores con pasaporte de EE.UU de América. *Minors with a US passport do not need this authorisation either.*

Note that you can use it without putting **no** if it comes before the verb, but you do have to put **no** if it comes after:

No está permitido **tampoco.** *It isn't allowed either.*

6 Ya, todavía

La máquina de escribir **ya** está reparada. *The typewriter is already repaired.*

El informe **todavía** no está terminado. *The report isn't finished yet.*

Notice that **aún** with an accent means the same as **todavía**, whilst **aun** without an accent means *even*.

Consolidación 1

(Unidades 1–4)

1 Reading

Read through this passage and answer the questions that follow:

Francisco Franco

Francisco Franco Bahamonde nació en el año 1892 en Ferrol, en la región de Galicia. En el año 1906 ingresó en la Academia de Infantería de Toledo y a la edad de 18 años alcanzó el grado de teniente. Franco sirvió en Marruecos. Allí, en la guerra contra los moros, ascendió rápidamente hasta alcanzar el grado de general en el año 1927 a la edad de 35 años.

En el año 1936 Franco pasó a ser jefe de las fuerzas en Canarias. En el mes de julio de ese año comenzó la guerra civil española entre las fuerzas republicanas del gobierno y los nacionales en rebelión. Franco abandonó Canarias, se dirigió a Marruecos y desde allí fue a España donde fue nombrado jefe del ejército nacional.

La guerra civil española terminó en el año 1939 con el triunfo de los nacionales y Franco se declaró Jefe de Estado con el título de El Caudillo. En 1969 nombró al Príncipe Juan Carlos como su sucesor.

El General Franco murió el 20 de noviembre de 1975 después de una larga enfermedad. Su gobierno duró treinta y seis años.

Answer in Spanish

(*a*) ¿Cuándo nació Franco?
(*b*) ¿Dónde nació?
(*c*) ¿Dónde realizó sus estudios militares?
(*d*) ¿A qué grado ascendió a la edad de 18 años?
(*e*) ¿Cuándo comenzó la guerra civil española?
(*f*) ¿Qué fuerzas dirigió Franco?
(*g*) ¿Cuándo terminó la guerra?
(*h*) ¿Qué hizo Franco en 1969?
(*i*) ¿Cuándo murió el General Franco?

2 Reading

Robert Watson has been sent by his company to El Salvador for a month. To extend his entry permit for another 30 days he has to write to the *Ministro del Interior* (Home Secretary). Read his application and then answer the questions which follow.

T.R. 0879370

```
1  SEÑOR MINISTRO DEL INTERIOR:
2     Yo, Robert Watson, de treinta años de edad, de nacionalidad
3  británica, biólogo, actualmente de este domicilio, a usted
4  respetuosamente vengo a exponer:
5     El día dieciséis de octubre del corriente año, ingresé a El
6  Salvador, por el Aeropuerto de Jlopango y las oficinas de
7  migración respectivas me concedieron permiso de permanecer en
8  El Salvador en calidad de Turista para el plazo de treinta
9  días.-
10    Expuesto lo anterior y en el deseo de permanecer TREINTA
11 (30) días más en esta República respetuosamente solicito a
12 usted me conceda prórroga de permanencia como Turista por
13 treinta días más.-
14    Señalo para notificaciones el bufete del doctor Rafael
15 Medina Castro, situado en el Edificio Bustamante, segundo
16 piso, número doscientos dos, entre Alameda Roosevelt y 41A,
17 Avenida Sur, de esta ciudad.-
18    San Salvador, treinta de octubre de mil novecientos
19 noventa y seis.

Rúbrica y firma ______________________
```

Answer in Spanish

(*a*) ¿Cuántos años tiene el señor Watson?
(*b*) ¿Cuál es su nacionalidad?
(*c*) ¿Cuál es su profesión?
(*d*) ¿Cuándo ingresó en El Salvador?
(*e*) ¿Por qué aeropuerto ingresó?
(*f*) ¿Cuántos días de permiso de permanecer en el país le concedió la oficina de migración?
(*g*) ¿Qué tipo de visado le dieron?
(*h*) ¿Cuántos días más quiere permanecer en el país?

3 Writing

Your company has sent you to El Salvador for three months and you are requesting the extension of the entry permit for another three months. Write a letter of application addressed to the Ministro del Interior, using the letter on page 47 as a model. You entered on the twenty-fifth of May, and your point of reference is Dr. Leonel Martínez Rojas, whose office is in Avenida de la Revolución 1972–3B.

4 Writing

Your firm has sent you to South America for a year. To obtain temporary residence for that period of time you need to complete this form:

MINISTERIO DEL INTERIOR

SECCION DE MIGRACION

DATOS NECESARIOS PARA SOLICITAR RESIDENCIA O PRORROGA DE PERMANENCIA

(FOTOGRAFIA)

1o.) Nombre completo: ______________________
Edad: ________ Nacionalidad por nacimiento: ________
________ Nacionalidad actual: ________ Lugar y Fecha de nacimiento: ________
________ Profesión u oficio: ________
Estado Civil: ________ Domicilio y Dirección actual: ________
____

20.) No. de Pasaporte ________ Lugar y fecha de expedición ________
________ Autoridad expeditora: ________
Visa: ________ Fecha de ingreso: ________

3o.) Nombres de sus padres y sus residencias: ________
____
________ ¿Tiene parientes en este pais? ________ Nombres y residencias de tales parientes, expresando el grado de parentesco: ________
____

4o.) Trabajo a que anteriormente se ha dedicado: ________
Actividades laborales a que se dedicará ________
¿Tiene oferta de trabajo el solicitante? ________ ¿Dónde? ________
________ Tiempo que desea permanecer en el pais ________
¿Cuenta con capital o renta proveniente del extranjero? ________ Proveniencia de dicho capital o renta y su cuantía: ________

5o.) Nombre de dos personas que puedan dar referencias sobre su conducta, antecedentes y demás pormenores en su pais de origen, de adopción o de permanencias anteriores, expresando sus respectivas direcciones con exactitud: ________
____
____

6o.) Nombres completos con designación de apellidos de los menores de edad que vienen con el solicitante, expresando su nacionalidad y si son hijos legitimos, naturales o adoptivos: ________
____
____
____

Lugar y Fecha: ________

5 Writing

You are applying for a job with a company in Venezuela. Complete your curriculum vitae including the following information:

SOLICITUD DE EMPLEO

Nombre .... Apellido ....

Dirección .... Teléfono ....

Lugar de nacimiento .... Fecha ....

Nacionalidad .... Sexo: masculino ☐ femenino ☐

Estatura .... Estado civil ....

Tiene carnet de conducir: sí ☐ no ☐

ESTUDIOS SECUNDARIOS

Nombre del colegio o instituto ....

Fechas: desde .... hasta ....

ESTUDIOS SUPERIORES

Nombre de la institución o universidad ....

Fechas: desde .... hasta ....

Título(s) recibido(s) ....

Otros estudios superiores ....

....

6 Writing

Read this information about Ignacio Benítez.

En el año 1990 Ignacio Benítez vivía en la Ciudad de México. Ignacio trabajaba en una fábrica de calzado donde era Jefe de Sección. Comenzaba su trabajo a las 9.00 y terminaba a las 5.00. Ignacio tenía cuatro semanas de vacaciones por año.

Now write a similar paragraph about Carmen Vargas.

AÑO	**1990**	**1992**
NOMBRE	Ignacio Benítez	Carmen Vargas
RESIDENCIA	Ciudad de México	Los Angeles
LUGAR DE TRABAJO	Fábrica de calzado	Industria de conservas
CARGO	Jefe de Sección	Obrera
HORARIO	9.00–5.00	8.00–4.00
VACACIONES	4 semanas	3 semanas

7 Sustained speaking

Give a talk about yourself. Include information such as this:

- Date and place of birth. Star sign.
- Information about your parents, other members of your family or partner.
- The schools and colleges you went to.
- Certificates and qualifications obtained.
- Present activity: where you are located, whether you like what you are doing.
- What you like doing on holiday.

8 Group discussion

Talk about a holiday you had, or a journey you went on. Allow room for other people to ask questions along the following lines:

¿Adónde fuiste? (*pueblo o país*)
¿Cuándo? (*el mes de julio/este año/el año pasado*)
¿Por qué fuiste allí? (*vacaciones, un congreso, visita familiar, ver amigos*)
¿En qué fuiste? (*avión, tren, barco, autocar*)
¿Con quién? (*novio/novia/amigos/familia/solo*)

¿Qué hiciste durante tu estancia allí? (*fui a la playa/al cine/a muchos restaurantes/a una corrida*)
¿Cómo era la gente? (*simpática/acogedora/fría/antipática*)
¿Cómo era el lugar? (*agradable/moderno/antiguo/histórico*)
¿Qué tiempo hacía? (*hacía buen tiempo/hacía mal tiempo/llovía bastante/hacía mucho sol*)

9 Ad hoc interpreting 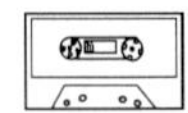

An executive from a Mexican firm, señor José Ruiz, has come to visit your company. The editor of the company magazine is Mr Gerry Turner and he would like an interview with him for the next edition about his career. Interpret between them.

10 At-sight translation

Read through this letter once and then translate:

Importadora Universal
Calle de los Jazmines 548
Bilbao
España

Muy señores nuestros:

Acusamos recibo de su atenta carta del 14 de agosto en que nos solicita información sobre la señorita Patricia Jones.
Nos es muy grato informarles que la señorita Jones trabajó en nuestra compañía entre marzo de 1991 y octubre de 1995. La señorita Jones ocupó el cargo de Secretaria de Dirección, el que desempeñó de manera responsable y eficiente. Estas cualidades, además de su carácter y modales agradables, nos permiten recomendarla para el puesto que solicita en su empresa.

Quedamos a su disposición y les saludamos muy atentamente.

John Murray

Jefe de Personal

Unidad 5

He leído su anuncio

What you will learn in this unit
- To talk about what you have done
- To talk about what has happened

Talking about what you have done and what has happened

Study this advertisement from a Spanish newspaper.

COMPAÑIA INTERNACIONAL
requiere
TRADUCTOR/A
Inglés — Español

SE REQUIERE:
- Perfecto dominio del inglés.
- Formación mínima a nivel de Bachillerato Superior.
- Experiencia mínima de 3 años.
- Edad 25–35 años.
- Residencia en Madrid.

SE OFRECE:
- Importantes ingresos.
- Integración en una Empresa con gran desarrollo en España.
- Posibilidades de promoción.

Interesados escribir pidiendo solicitud y mayor información a
C.E.M.A. Internacional, Departamento de Selección de Personal, Avenida Perón 607, Madrid-2.

Now read this reply to the advertisement opposite, sent in by Ana Prado, who is a translator in Madrid.

Madrid, 3 de octubre de 19..

C.E.M.A. INTERNACIONAL
Departamento de Selección de Personal
Avenida Perón 607
Madrid-2

Muy señores míos:
He leído con mucho interés su anuncio en El País de fecha 30 de septiembre para el puesto de traductor en C.E.M.A. Internacional. Dado que cumplo con los requisitos que exigen ustedes, les ruego me envíen una solicitud e información detallada sobre dicho puesto.
En espera de sus gratas noticias les saluda muy atentamente.

Ana Prado

Ana Prado
Calle La Unión 345 2º izq.
Madrid-6

Read this reply sent by C.E.M.A. INTERNACIONAL to Ana Prado:

C.E.M.A. INTERNACIONAL

Avenida Perón 607 – Madrid–2
Tel. 501 28 37 (6 líneas) – Telefax 501 28 45

Madrid, 6 de octubre de 19..

Srta. Ana Prado
Calle la Unión 345 2º izq.
Madrid-6

Distinguida señorita:
Hemos recibido su carta de 3 del corriente y de acuerdo con su petición le incluimos una solicitud y una descripción detallada sobre el puesto de traductor. Asimismo nos complace enviarle un folleto informativo sobre nuestra organización.
Le saludamos muy atentamente

José Manuel Duarte
Director
Departamento de Selección de Personal

Ana Prado sent her application form and a few days later she was invited to attend a preliminary informal interview. This is the letter she received:

C.E.M.A. INTERNACIONAL

Avenida Perón 607 – Madrid–2
Tel. 501 28 37 (6 líneas) – Telefax 501 28 45

Madrid, 28 de octubre de 19..

Srta. Ana Prado
Calle la Unión 345 2º izq.
Madrid-6

Distinguida señorita:

Nos es muy grato informarle que luego de considerar su solicitud para el puesto de traductora en nuestra organización, el comité de selección ha decidido invitarla a una entrevista preliminar, la que tendrá lugar el lunes 5 de noviembre a las 10.15 de la mañana en nuestra sede de la Avenida Perón 607.

Le rogamos que nos confirme por escrito su asistencia a dicha entrevista.

Le saludamos muy atentamente.

José Manuel Duarte

Director
Departamento de Selección de Personal

Interview 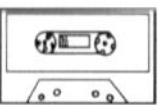

Ana Prado accepted the invitation above and on 5 November she attended a preliminary interview with Sr. Hernández, manager of the Translation Department. This is part of the interview:

Sr. Hernández ¿Dónde ha hecho usted sus estudios de traducción?

Srta. Prado He hecho un curso de un año en el Instituto de Traductores e Intérpretes de Ginebra. Allí he obtenido el Diploma de Traductor que otorga el Instituto.

Ana Prado trabaja en una agencia de traducciones

Sr. Hernández ¿Y en qué lugares ha trabajado?

Srta. Prado	Mientras estaba haciendo la licenciatura en Filología inglesa en Madrid, trabajaba por libre en una agencia de traducciones. Después de regresar de Ginebra he estado trabajando en el Departamento de Traducciones de la Agencia de Prensa UPE.
Sr. Hernández	¿Cuánto tiempo hace que trabaja usted en la Agencia de Prensa?
Srta. Prado	Hace un año y medio.
Sr. Hernández	¿Ha tenido experiencia en traducción técnica?
Srta. Prado	Sí, además de traducción general, he hecho traducciones de tipo técnico, legal y comercial.
Sr. Hernández	¿Ha vivido en algún país de habla inglesa?
Srta. Prado	Sí, he vivido un año en Inglaterra. Allí hice un curso de inglés avanzado.
Sr. Hernández	Usted sabe utilizar el procesador de datos, ¿verdad?
Srta. Prado	Sí, sí, sí, sí sé.
Sr. Hernández	Bien. Tiene usted alguna pregunta que hacerme a mí?
Srta. Prado	Sí. Tengo entendido que antes de la selección final hay una prueba de competencia, ¿no?
Sr. Hernández	Exactamente. Para la prueba hemos seleccionado un texto general y otro especializado. Voy a enseñarle algunos textos que pueden darle una idea del nivel que se requiere. Pase por aquí por favor.
Srta. Prado	Gracias.

Practice

1 Speaking

Imagine that you have been interviewing Ana Prado. A colleague of yours comes up to you asking about the candidate. Answer the questions:

(*a*) Has she done any translation course?
(*b*) Where has she worked?
(*c*) Is she working now? Where?
(*d*) Has she any experience in technical translation?
(*e*) Has she lived in any English-speaking country? Where and for how long?
(*f*) Can she use the word processor?

2 Writing

Write a brief file note on the interview, using the following outline:

- Ana Prado ha hecho un curso de…
- Ha obtenido el Diploma de…
- Ha trabajado en…

- Últimamente ha estado trabajando en...
- Ha tenido experiencia en traducciones de tipo...
- Ha vivido en... durante...

3 Letter writing

You are interested in one of the positions advertised below. Write a letter asking for an application form and further details about the job.

ENTIDAD FINANCIERA
desea cubrir el puesto de
JEFE DEL DEPARTAMENTO COMERCIAL DE LA DIVISION INTERNACIONAL
en MADRID

Requistos:
- Experiencia en gestión comercial y entidades financieras.
- Preferentemente con titulación superior o formación equivalente.
- El candidato designado deberá fijar su residencia en Madrid.

Se ofrece:
- Categoría y condiciones económicas a convenir, según experiencia y valía.
- Ventajas sociales.

Los Interesados deberán remitir "curriculum vitae" detallado al Departamento de Relaciones Jurídico-Laborales, apartado de Correos nº 31 de La Coruña, indicando en el sobre la referencia: J.D.C.I.

Se dará contestación a todas las solicitudes, garantizándose la máxima confidencialidad durante todo el proceso de selección.

Of. INEM-90.581-LC

IMPORTANTE EMPRESA DE AMBITO NACIONAL
Necesita
ADMINISTRATIVO

SE REQUIERE:
- Persona responsable y dinámica.
- Dispuesto a residir en cualquier punto de la Península.
- Impuesto en nóminas de salarios, Seguridad Social, Relaciones Laborales. etc.
- Imprescindible experiencia, preferiblemente a pie de obra.
- Servicio Militar cumplido.
- Carnet de conducir.

SE OFRECE
- Interesante puesto de trabajo.
- Incorporación inmediata.
- Retribución económica a convenir de acuerdo con aptitudes.

Interesados, enviar "curriculum vitae" al Apartado de Correos 39. 147 de Madrid, indicando teléfono de contacto. Ref.-M-1702509

BANCO INDUSTRIAL
para sus oficinas de Madrid
precisa
SECRETARIA BILINGÜE
(Ref. 11.692)
Superior a 2.000.000 de ptas. neto

- Inglés, lengua materna.
- Dominio del español.
- Buena mecanografía.
- Conocimientos actualizados de taquigrafía en español.
- Dispuesta a integrarse en equipo de trabajo, con jornada laboral de mañana y tarde.
- Interesantes perspectivas futuras.
- Sueldo a convenir, según conocimientos y aptitudes, por encima de 2.000.000 de ptas, neto anual.

(M-1.710.186)

TEA asesora en la selección. Escribir con historial detallado y teléfono de contacto a su División de Psicología, Edificio TEA, Fray Bernardino de Sahagún, 24, Madrid-16, indicando en el sobre la referencia del puesto.

EMPRESA DE INGENIERIA QUIMICA
solicita Ingenieros Industriales o Licenciados en C. Químicas
para
INGENIERO DE PROCESOS
INGENIERO DE VENTAS

- Imprescindible inglés hablado.
- Se valorará experiencia similar.
- Residencia en Madrid.

Interesados, enviar "curriculum" y fotografía reciente, precisando pretensiones económicas, al apartado de Correos nº 45.149.

4 Letter writing

Your application form has been considered and you have been invited to attend an interview on 25th November at 4.00 p.m. Write a letter confirming your attendance, using these guidelines:

- Acknowledge the letter: *He recibido…*
- Say you are pleased to accept the invitation to the interview: *Me es muy grato…*
- Confirm the time: *Llegaré a las…*

5 Interview

You are preparing yourself for a job interview in Spanish. Here are some questions you may be asked. Answer them as fully as possible.

(*a*) ¿Qué estudios ha hecho usted?
(*b*) ¿Dónde ha estudiado?
(*c*) ¿Qué diplomas ha obtenido?
(*d*) ¿Ha trabajado usted antes?
(*e*) ¿Dónde? ¿Durante cuánto tiempo?
(*f*) ¿Ha tenido experiencia en este tipo de trabajo?
(*g*) ¿Cómo se ha enterado de este puesto?
(*h*) ¿Por qué está interesado en este trabajo?

6 Translation

You are working as a freelance translator and have been asked to translate the following text into English:

El Comercio Exterior

Las características más sobresalientes del comercio español a lo largo del año han sido la marcada desaceleración de las importaciones y, por el contrario, la dinamización de las exportaciones. Esta desaceleración registrada por la importación total del año respecto del año anterior se ha debido a diversos factores. De forma primordial ha contribuido a esta retracción la contención de las compras de productos petrolíferos que en términos de volumen han disminuido en un 7,55% y en términos monetarios han crecido tan sólo en un 2,1%. Por otra parte, la depreciación de la peseta respecto al dólar ha encarecido notablemente el valor de los productos a importar. Entre las importaciones, los sectores que han experimentado unas tasas de crecimiento superiores a la media son los productos minerales, entre los cuales se incluyen los energéticos, con un 32,3%, y el de bienes de consumo, con un 29,6%. Dentro del material de transporte hay que señalar el fuerte crecimiento del transporte aéreo, del 95,8%.

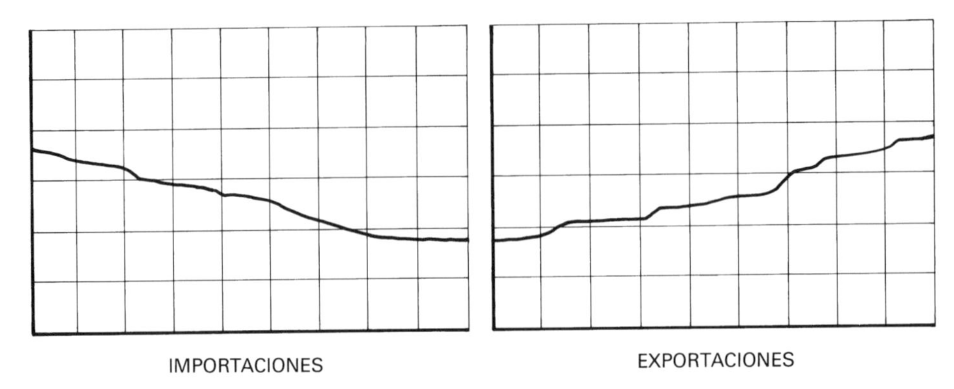

En el campo de la exportación los sectores más dinámicos han sido el de material de transportes marítimos, con un crecimiento en pesetas del 70,7%, los productos minerales, con un 56,9%, los sectores tradicionales de calzado, 35,9%, y productos textiles, 31,4%.

7 Ad hoc interpreting

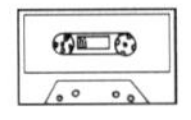

Ramón, a Mexican student, is coming to your country to do an English course. The immigration officer at the airport does not speak Spanish, and he calls an interpreter in order to ask Ramón some routine questions. Listen to what they say and interpret for them.

Listening comprehension

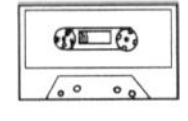

Listen to this news bulletin from a Mexican radio station and summarise each news item in English.

Reading comprehension

A In the following passages you will read about Spain and the way in which her territory is divided up and administered. You will also read a paragraph from the 1978 Constitution which establishes Spanish as the official language of the Spanish State, while at the same time giving official status to other languages spoken in the country. The Constitution does not mention them specifically, but these are *el catalán*, spoken in Catalonia, Valencia and the Balearic Islands, *el gallego*, spoken in Galicia, and *el euskera* or *vasco* or *vascuence*, spoken in the Basque country. Each of these is an official language within each region, and is used alongside Spanish.

Look at these key words first, and then read the passages which follow.

a diferencia de unlike
pueblo (*m*) people
a través de throughout
han logrado conservar they have managed to preserve
garantizar to guarantee
derecho (*m*) right
competencia (*f*) competence, authority
medio ambiente (*m*) environment
sanidad pública (*f*) public health
oficialidad (*f*) official nature or character
deber (*m*) duty
demás others
comunidad autónoma (*f*) autonomous or self-governing community
de acuerdo con in accordance with
riqueza (*f*) wealth
modalidades lingüísticas (*fpl*) linguistic variations

La autonomía regional en España

España, a diferencia de muchas otras naciones europeas, no constituye una nación uniforme. España está integrada por diversos pueblos, que a través de su historia han logrado conservar – pese a las presiones políticas externas – su propia cultura y sus tradiciones. El artículo 2º de la Constitución española de 1978 se refiere a la "indisoluble unidad de la nación española", pero al mismo tiempo reconoce y garantiza "el derecho a la autonomía de las nacionalidades y regiones que la integran".

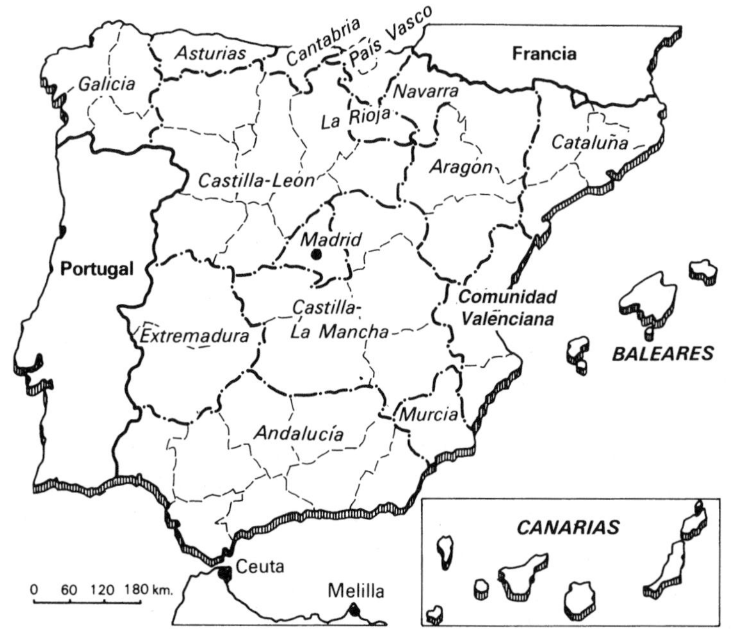

España está constituida por 17 comunidades autónomas, que son Aragón, Andalucía, Asturias, Baleares, Cantabria, Canarias, Cataluña, Castilla-La Mancha, Castilla y León, Euskadi (País Vasco), Extremadura, Galicia, La Rioja, Madrid (que incluye la provincia y la capital de España), Murcia, Navarra y Comunidad Valenciana (ver mapa).
Cada comunidad ha elaborado un estatuto de autonomía, equivalente a una Constitución a nivel de la comunidad. Las comunidades tienen competencia sobre cuestiones culturales, agrícolas, protección del medio ambiente, deportes, sanidad pública, y educación. Defensa, seguridad, y política exterior son competencias exclusivas del gobierno central.

El castellano, lengua oficial

El artículo 3º de la Constitución española proclama que el español es la lengua oficial del Estado, pero al mismo tiempo reconoce la oficialidad de las otras lenguas españolas:

Artículo 3

1. El castellano es la lengua española oficial del Estado. Todos los españoles tienen el deber de conocerla y el derecho a usarla.
2. Las demás lenguas españolas serán también oficiales en las respectivas Comunidades Autónomas de acuerdo con sus Estatutos.
3. La riqueza de las distintas modalidades lingüísticas de España es un patrimonio cultural que será objeto de especial respeto y protección.

1 Translation

Translate the first paragraph of **La autonomía regional en España** into English.

B

The latest census done in Spain in 1991 revealed an increase in population of less than a million between this and the previous census carried out in 1981. Cities like Madrid and Barcelona had actually lost people, while large cities like Seville and Malaga in the south had seen an increase in the number of inhabitants. The following passage from an article published in the Spanish newspaper *El País* discusses this trend. Look at these key words first, and then answer the questions which follow the text.

despoblarse to lose inhabitants
mientras whilst
crecer to grow
caída (f) fall
aumento (m) increase
aunque although
en la actualidad at present
poblada populated
aumentar to increase

Madrid y Barcelona se despueblan, mientras crecen los habitantes de las ciudades del sur

Madrid y Barcelona, las dos mayores ciudades españolas, han registrado una importante caída de la población en los diez últimos años, según los datos provisionales del censo de 1991 elaborado por el Instituto Nacional de Estadística (INE).

En el resto de las grandes ciudades se ha producido un aumento de la población, aunque muy poco significativo con relación al mismo período de hace diez años. Por ejemplo, Valencia, que aparece en la actualidad como la tercera ciudad más poblada, con 752.909 habitantes, ha crecido en 8.161 habitantes en los últimos diez años. Sevilla, con 659.126 habitantes en la actualidad ha aumentado en 13.299; Zaragoza, con 586.219 habitantes, ha crecido en 14.364 y Málaga, que en la actualidad tiene 512.136 habitantes, ha aumentado en 9.904.

La población española actual es, según el INE, de 38.425.679 habitantes, lo que supone, en general, un incremento de un 1,97% en los últimos diez años, ya que en 1981 la población total se elevaba a 37.682.355 habitantes. Aunque la población en general ha crecido 750.000 habitantes, sin embargo, ha disminuido de forma significativa el número de habitantes de las dos ciudades mayores. (*El País*)

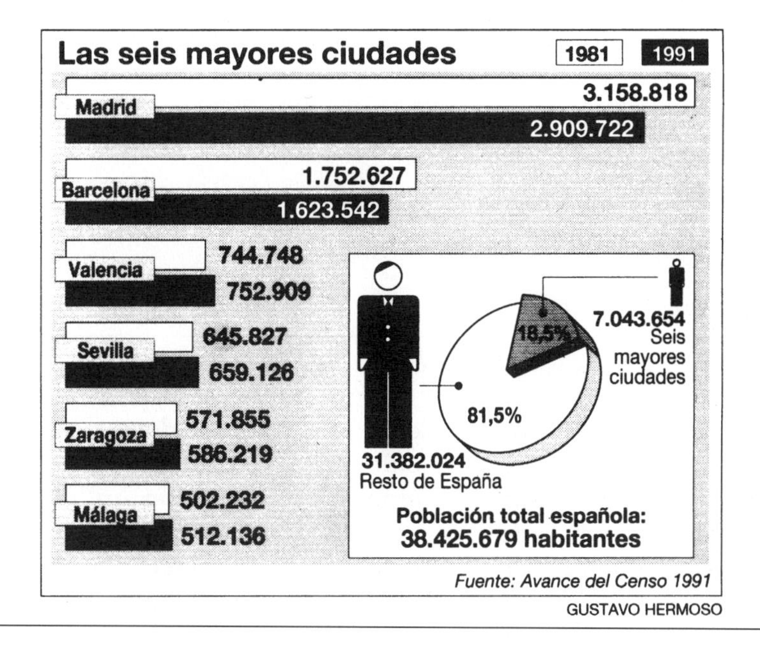

1 ¿Verdadero o falso? (True or false?)

(*a*) En Madrid y Barcelona ha aumentado la población.
(*b*) La tercera ciudad más poblada de España es Sevilla.
(*c*) En Valencia se ha producido un aumento de la población.
(*d*) Zaragoza ha registrado una caída de la población.
(*e*) En 1991, Málaga tenía más habitantes que en 1981.

Summary

A Talking about what you have done

¿Dónde ha hecho usted sus estudios de traducción? *Where have you studied translation?*

He hecho un curso de un año en el Instituto de Traductores e Intérpretes de Ginebra. *I've done a one-year course at the Translators and Interpreters Institute in Geneva.*

B Talking about what has happened

La depreciación de la peseta ha encarecido el valor de los productos a importar. *The depreciation of the peseta has increased the value of imported goods.*

En el campo de la exportación los sectores más dinámicos han sido el de material de transportes marítimos, los productos minerales y los sectores tradicionales de calzado y productos textiles. *In the export field the most dynamic sectors have been maritime transport material, mineral products and the traditional sectors of footwear and textile products.*

Grammar

1 The perfect tense

Haber + past participle

	(**-ar** verbs)	(**-er** verbs)	(**-ir** verbs)
he	estudi**ado**	le**ído**	recib**ido**
has	estudi**ado**	le**ído**	recib**ido**
ha	estudi**ado**	le**ído**	recib**ido**
hemos	estudi**ado**	le**ído**	recib**ido**
habéis	estudi**ado**	le**ído**	recib**ido**
han	estudi**ado**	le**ído**	recib**ido**

Ha estudiado en Ginebra. *He/she has studied in Geneva.*
Hemos leído el anuncio. *We have read the advert.*
Habéis recibido la carta. *You have received the letter.*

The perfect tense refers to actions that have taken place in the recent past. It is used to refer to events that have already happened. It also links the present to actions or events that have taken place previously, though not necessarily in the recent past.

2 Other uses of the past participle

The past participle has a wide range of uses:

Dado que cumplo con los requisitos que ustedes exigen, les ruego que me envíen una solicitud e información **detallada** sobre **dicho** puesto. *Since I meet the requirements that you demand, I am asking you to send me an application form and detailed information on the post in question.*
Le rogamos que nos confirme por **escrito** su asistencia a **dicha** entrevista. *We would ask you to confirm in writing your attendance at the aforementioned interview.*
Tengo entendido que antes de la selección final hay una prueba de competencia, ¿no? *I understand that before the final selection panel there is a competence test, is that right?*

See Unit 6, page 72; Unit 7, page 84; Unit 10, page 133; and Unit 12, page 164 for other uses of the past participle.

3 Perfect and imperfect continuous

These forms lay emphasis on the continuing nature of an action, sometimes leading up to the present (as in the first example) and sometimes linking two events in the more remote past:

He estado trabajando en el Departamento de Traducciones de la Agencia de Prensa UPE. *I have been working in the Translation department of the Press Agency UPE.*

Mientras **estaba haciendo** la licenciatura en filología inglesa trabajaba en una agencia de traducciones. *While I was doing a degree in English Philology I used to work in a translation agency.*

See Unit 4, page 44 and Unit 6, page 73 for other examples of the present participle.

Unidad 6

Quiero hacer una reclamación

What you will learn in this unit
- To place an order
- To make a complaint
- To apologise

Placing an order, making a complaint and apologising

Dialogue 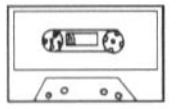

Comercial Hispana has received a letter asking them to pay an invoice which has already been settled. Isabel Pérez, a secretary at the company, telephones to make a complaint and to place a new order for stationery.

Empleado ¿Dígame?

Isabel Buenos días. Llamo de Comercial Hispana para hacer una reclamación.

Empleado ¿De qué se trata?

Isabel Hemos recibido una carta de ustedes pidiéndonos la liquidación de una factura que pagamos hace más de un mes. He hablado con el encargado del Departamento de Finanzas y me ha dicho que les había enviado un cheque el día 13 de octubre.

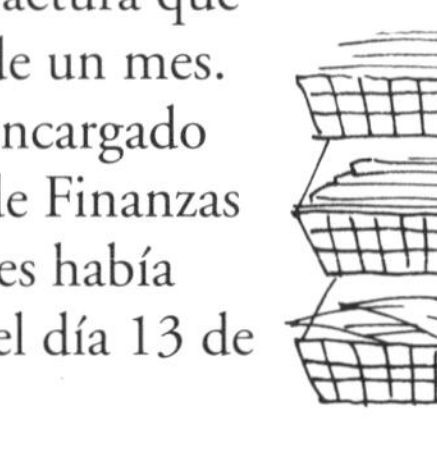

Empleado ¿Cuál es el número del pedido?

Isabel RN45 68 21 de fecha 30 de septiembre.

Empleado ¿Quiere usted esperar un momento? Voy a averiguar lo que ha pasado. (*Coming back.*) ¿Oiga?

Isabel Sí, dígame.

Empleado Mire, perdone usted la equivocación, pero la encargada había puesto su cheque con otros documentos y lo había olvidado.

Isabel Está bien. También quiero hacer un pedido de material de oficina que necesitamos urgentemente.

Empleado ¿Qué material necesitan?

Isabel Queremos quinientos sobres, doscientos lápices, cien gomas, trescientos bolígrafos, cincuenta rollos de papel celo, cien carpetas...

Empleado Carpetas no nos quedan. ¿Alguna otra cosa más?

Isabel Sí, treinta blocs de taquigrafía. Me lo envía esta tarde, por favor.

Empleado No se preocupe usted. Esta misma tarde se lo hago despachar.

Practice

1 Isabel's boss calls her into the office and asks her whether she has telephoned the stationer's. Answer for her.

(*a*) ¿Ha llamado usted a la papelería?
(*b*) ¿Les ha dicho que ya habíamos pagado la factura?
(*c*) ¿Qué han respondido?
(*d*) ¿Ha hecho usted el nuevo pedido?
(*e*) ¿Cuándo lo van a despachar?

2 Translation

You are working for a publishing house. On your desk this morning you find a note from your boss asking you to translate this letter from Mexico.

INSTITUTO DE IDIOMAS MODELO

Calle Emiliano Zapata 104 – Teléfono 352 10 89 – Veracruz –México

Veracruz a 22 de abril de 19..

Stanley Thornes (Publishers) Ltd.
Ellenborough House
Wellington Street
Cheltenham
Glos GL50 1YW
Inglaterra

Muy señores nuestros:

Hemos recibido su último catálogo de publicaciones y lista de precios y deseamos adquirir los siguientes títulos para nuestra biblioteca, en las cantidades que se indican a continuación:

Título	Cantidad
Spirals: The Ghost Train by John Goodwin	20
A Guide to Better Grammar by Angela Burt	20
Thornes Classics: The Adventures of Huckleberry Finn by Mark Twain	60
Thornes Classics: Short Stories by Arthur Conan Doyle	10

Les rogamos que nos envíen el pedido lo antes posible.

Les saluda muy atentamente

María Salas
Bibliotecaria

3 Letter writing

You have been appointed representative for your company in Bilbao. One of your first duties will be to rent an office and buy all the necessary equipment and furniture. You decide to order some office furniture from a local firm which has been recommended to you. Write a letter asking them to send you some of the items listed below. The address is:

Fábrica de Muebles de Oficina Ibarra Hnos., Avenida Panamericana 918 – Teléfono 527 39 86 – Bilbao.

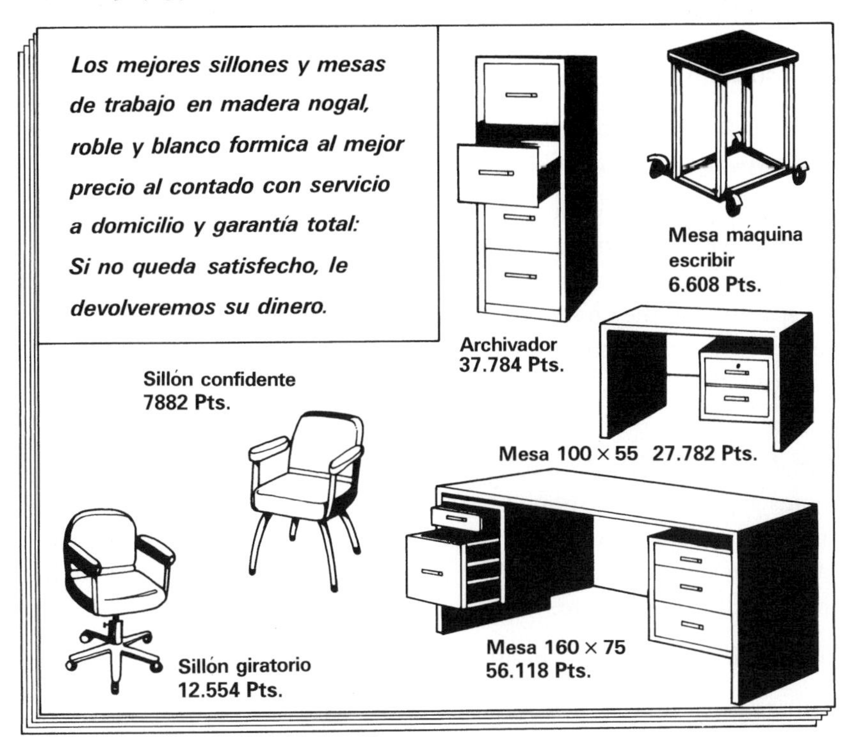

4 Oral situation

Get together with another student and make up a conversation based on this situation:

Student A: Your travellers' cheques are stolen during a business trip to a Spanish-speaking country. You go to the local branch of the agency that issued the cheques to report the theft.

Student B: You are an employee at the agency. You ask the customer to show you his/her passport and to give you his/her local address and telephone number. Ask also if he/she has the sales advice and how many cheques have been used and for what value. Is he/she sure that the cheques were stolen and not lost or left behind in another hotel? Has the loss been reported to the police?

Useful words and phrases

los cheques de viaje traveller's cheques
robar to steal
el robo theft
perder to lose
la pérdida loss
extraviar to mislay
enseñar el pasaporte to show one's passport
la nota de venta sales advice
informar to report
la comisaría police station

5 Oral situation

Get together with another student and make up a conversation based on this situation:

Student A: You arrive at a hotel in a Spanish-speaking country and discover that you have been given the wrong type of room. Tell the receptionist that you had made a reservation for a room with a private bathroom and a terrace facing the sea. Instead they have given you a room without a bathroom facing a car park. The hotel has confirmed the reservation in writing and you can't understand what has happened.

Student B: You are the hotel receptionist. Apologise to the customer for the mistake and say that this has never happened before. Say that there aren't any rooms available at the moment but if he is willing to wait you can give him a very nice room in two days' time with a large terrace facing the sea. In the meantime you can move him to a nicer room with a shower, although it is on the inside of the corridor.

Student A: You accept the situation and agree to stay.

Useful words and phrases

yo había reservado... I had booked ...
con vista al mar facing the sea
en lugar de eso instead of that
por escrito in writing
no entiendo lo que ha pasado I can't understand what has happened
lo siento mucho I'm very sorry
nunca había sucedido it had never happened
si usted está dispuesto a esperar if you are willing to wait
dentro de dos días within two days
una habitación con ducha a room with a shower
interior/exterior inside/outside (view)

6 Writing

Read this introduction to a letter which begins with an apology:

```
Estimada Señora Ardiles:
     Siento mucho no haber respondido antes a su
amable carta, pero hasta ahora me había sido
imposible ya que he estado sumamente ocupado...
```

Now write three apologies explaining that:
(a) you have been ill
(b) you have been out of the country on business
(c) you had not been able to find the address.

Useful words and phrases

contestar to reply
enfermo ill
tener fiebre to have a temperature
estar constipado to have a cold
tener gripe to have flu
un viaje de negocios a business trip
en el extranjero abroad
perder la dirección to lose the address

7 Ad hoc interpreting 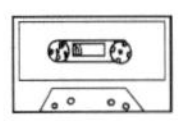

You are helping an English-speaking friend at the reception of a hotel in Mexico. Interpret for him and the receptionist.

Listening comprehension 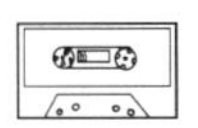

Listen to these conversations:

(*a*) say where each conversation takes place
(*b*) explain each situation briefly in English
(*c*) get together with another student and devise similar dialogues.

Reading comprehension

A The passage which follows discusses punctuality among Hispanic people and tells a story which illustrates the concept of time in a Latin American country. Before you read the text, study these key words.

a menudo often
se oye decir one hears
cita (f) appointment
la persona con quien uno ha quedado the person one has agreed to meet
alcanzar to reach
extranjero foreign
estaba sentado he was sitting
seguían llegando they continued to arrive
cuando se llena when it fills up

La puntualidad

A menudo se oye decir que los hispanos no se caracterizan por ser puntuales. En efecto, el concepto de la puntualidad que se tiene en España y Latinoamérica permite, particularmente a nivel individual, una flexibilidad que no siempre existe en los países nórdicos. Frente a una invitación o una cita, por ejemplo, normalmente se espera que el invitado o la persona con quien uno ha quedado no llegará a la hora. Cuando los hispanos hablan de puntualidad usan la expresión "hora inglesa". La impuntualidad a menudo alcanza a los medios de transporte. En una ocasión, por ejemplo, un señor extranjero que venía de un país donde la gente suele ser muy puntual, se encontraba en una ciudad latinoamericana. El señor había decidido hacer un poco de turismo y preguntó en su hotel a qué hora salía el autobús que hacía un servicio regular hacia un lugar de mucho interés turístico. La salida era a las 10.00 de la mañana. A las 9.50 el señor estaba sentado en el autobús. Quince minutos más tarde los pasajeros seguían llegando y una hora más tarde el autobús todavía no había salido. El señor, impaciente, preguntó a una pasajera: "¿A qué hora sale el autobús, señora?" a lo que ella respondió tranquilamente: "El autobús sale cuando se llena, pues".

1 Translation

Translate into English the first part of the passage from 'A menudo se oye decir…' to 'la expresión "hora inglesa"'.

2 Answer in Spanish

(*a*) ¿De dónde venía el extranjero?
(*b*) ¿Dónde se encontraba?
(*c*) ¿Qué había decidido hacer?
(*d*) ¿Qué preguntó en el hotel?
(*e*) ¿A qué hora salía el autobús?
(*f*) ¿A qué hora llegó el señor al autobús?
(*g*) ¿Por qué se impacientó el pasajero?
(*h*) ¿Qué preguntó?
(*i*) ¿Qué le respondieron?

B This second passage tells you about bargaining (*el regateo*). Again study these key words before you read the text.

todavía still
corriente common
un precio fijo a fixed price
vale la pena it is worth
recordar to remember
por muy pequeña que sea
no matter how small it may be
sobre todo above all, especially
impuesto (*m*) tax
se agrega it is added
tendero (*m*) shop keeper

De compras

En un mercado mexicano

El regateo es una costumbre todavía corriente en las tiendas y mercados de Latinoamérica, sobre todo fuera de las grandes ciudades. Al habitante de la ciudad, acostumbrado a pagar un precio fijo por cada cosa, el regateo puede resultarle embarazoso, pero vale la pena recordar que casi siempre es posible obtener una rebaja, por muy pequeña que sea, sobre todo cuando se trata de artículos tales como ropa, comestibles, productos de artesanía, etc. Es conveniente recordar que en algunos países latinoamericanos existe un impuesto que se agrega y este impuesto no siempre está incluido en el precio. El tendero o dependiente tiene la obligación de darle a usted su recibo.

1 Summary

Write a brief summary of the passage **De compras**.

Summary

A Placing an order

Quiero hacer un pedido (de material de oficina).	*I want to place an order (for office materials).*
Queremos (quinientos sobres).	*We want (five hundred envelopes).*

B Making a complaint

Quiero hacer una reclamación. — *I wish to make a complaint.*

Llamo de (Comercial Hispana) para hacer una reclamación. — *I am calling from (Comercial Hispana) to make a complaint.*

C Apologising

Perdone usted (la equivocación). — *I apologise for/(I'm) sorry about (the mistake).*

Siento mucho (no haber respondido antes). — *I am sorry (not to have replied earlier).*

Lo siento mucho. — *I'm very sorry.*

Grammar

1 The pluperfect indicative

Haber + past participle

	(**-ar** verbs)	(**-er** verbs)	(**-ir** verbs)
había	envi**ado**	respon**dido**	decid**ido**
habías	envi**ado**	respon**dido**	decid**ido**
había	envi**ado**	respon**dido**	decid**ido**
habíamos	envi**ado**	respon**dido**	decid**ido**
habíais	envi**ado**	respon**dido**	decid**ido**
habían	envi**ado**	respon**dido**	decid**ido**

Había enviado el cheque. — *I had sent the cheque.*

Habías respondido la carta. — *You had answered the letter.*

Habían decidido hacer un poco de turismo. — *You/they had decided to do a bit of tourism.*

See Unit 4, page 45 for list of irregular past participles.

The pluperfect corresponds quite closely to the English. It refers to events, actions or states that took place at some time in the past, prior to another point in time.

Comercial Hispana ya **había enviado** el cheque. — *Comercial Hispana had already sent the cheque.*

Una hora más tarde y el autobús todavía no **había salido**. — *An hour later and the bus had still not left.*

2 Other uses of the present participle

Hemos recibido una carta de ustedes **pidiéndonos** la liquidación de una factura. *We have received a letter from you requesting settlement of an invoice.*

Quince minutos más tarde los pasajeros **seguían llegando.**
Fifteen minutes later the passengers were still arriving.

Notice the accent which goes on **pidiendo** when **nos** is added to the end. This is to show the stress remains in the same place.

See also Unit 4, page 44 for more on the present participle.

3 Lo que

Neuter **lo** is used to refer to a whole phrase, rather like English *what* or *which*:

Voy a averiguar **lo que** ha pasado. *I'm going to check up on what's happened.*

El pasajero le preguntó: '¿A qué hora sale el autobús?' a **lo que** ella respondió: 'El autobús sale cuando se llena, pues.' *The passenger asked her, 'What time does the bus leave?' to which she replied, 'Well, the bus leaves when it's full.'*

4 The neuter article *lo*

This is a useful and flexible construction which is used by adding **lo** to a masculine adjective. It can cause something of a problem with translation, as it may need to be covered by a whole phrase in English:

La mayoría de las naciones centroamericanas tienen características similares en **lo geográfico, lo político, lo social** y **lo económico**. *Most of the Central American nations have similar characteristics in the geographical, political, social and economic aspects.*

It also appears in set phrases such as **lo antes posible** (*as soon as possible*).

5 Hacer + infinitive

Hacer is used with the infinitive to indicate that something is being done, arranged or ordered:

Esta misma tarde se lo **hago despachar**. *I'll get it sent out to you this very afternoon.*

La señora **hizo cambiar** la sopa. *The lady had the soup changed.*

Unidad 7

Saldremos en autocar

What you will learn in this unit
- To ask and answer questions about future plans and events
- To discuss future trends

A Talking about future plans

A talk 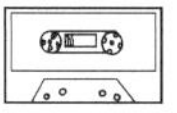

A group of Spanish people are going on a tour of India. Their guide talks to them about their programme.

Guía Nuestra primera visita será a Nueva Delhi. Desde el aeropuerto nos iremos al hotel y mientras se terminan los trámites de alojamiento saldremos en autocar. Nuestro primer contacto será con el sector nuevo de la ciudad donde visitaremos los más importantes monumentos. En nuestro segundo día veremos el viejo Delhi. Haremos una visita al palacio Fuerte Rojo y a la mezquita de las perlas. También tendremos la oportunidad de conocer algunos de los principales mercados. El tercer día dejaremos Delhi después del desayuno en autocar con destino a Jaipur, vía Amber. La visita al Palacio, que se encuentra en una colina, la iniciaremos montados en elefante. Aquí encontraremos el templo de Kali. El almuerzo será en Jaipur, la "Ciudad Rosada de la India". Visitaremos el Observatorio...

Practice

1 Say whether the following statements are true or false. Correct false statements.

(*a*) La primera ciudad que visitarán los turistas será Nueva Delhi.
(*b*) El primer día visitarán el sector viejo de la ciudad.
(*c*) El viaje por la ciudad será en autocar.
(*d*) El segundo día verán el sector nuevo de la ciudad.
(*e*) Los turistas dejarán Nueva Delhi el segundo día.
(*f*) Desayunarán en Nueva Delhi.
(*g*) La visita al Palacio en Jaipur la harán montados en caballo.
(*h*) Almorzarán en Jaipur.

2 You are working for a tour operator and have been asked to translate the travel plans outlined by the guide into English in order to hand them to a group of English-speaking tourists.

3 **Writing**

Read this extract from a letter written by someone who is on holiday in Mexico.

"El primer día visitaré Cuernavaca y luego continuaré a Taxco, donde almorzaré. Por la tarde visitaré Taxco. Cenaré en el hotel. El segundo día desayunaré en el hotel y después continuaré a mi hotel en Acapulco..."

Now write a similar paragraph based on these travel plans.

SAN MIGUEL ALLENDE, GUANAJUATO

DIARIO EXC. DOMINGOS DOBLE $250.00
9.30 a.m. VIERNES SENCILLO $280.00
(Mínimo 2 pasajeros.)
VISITA: 1er DIA. Visita de San Miguel de Allende para continuar a Guanajuato. Cena en el hotel.
2° DIA. Visita de Guanajuato, desayuno y cena incluidos.
3er DIA. Después del desayuno regreso a la Ciudad de México visitando Querétaro en ruta.

4 Letter-writing

On your desk this morning you find the following note from your boss:

> Please write a letter to Mexal S.A. of Avda. Los Insurgentes 603 of Mexico City and tell them that our representative, Mrs Anne Pearson, will travel to Mexico on 18th November. She will be arriving at 20.30 local time on Aeroméxico, flight 921. She'll be staying at Hotel Teotihuacán, Paseo de la Reforma, 43. She will telephone to make an appointment to see Sr. Eduardo Román.

Useful words and phrases

tenemos el agrado de... we have pleasure in...
hora local local time
se alojará She will be staying
concertar una cita con... to make an appointment with...

5 Oral situation

Get together with another student and make up a conversation based on this situation:

Student A: You are a Spanish businessman visiting a company in an English-speaking country. On your arrival you are received by an employee who speaks Spanish and who will accompany you during your day's visit. Greet the employee and introduce yourself, saying your name and the name of the company you represent.

Student B: A Spanish businessman is visiting your company and you have been asked to accompany him during his day's visit. After greeting him and offering him some coffee, you will have to explain the day's programme to him in Spanish. Here is what you and the visitor will do in the course of the day:

> 10.00 Visita a las instalaciones de la firma.
> 11.30 Reunión con el director gerente.
> 13.00 Almuerzo en el comedor del personal.
> 14.30 Regreso al hotel.
> 16.00 Salida para el aeropuerto.

(Use the 1st person plural, for example: *A las 11.30 nos reuniremos con ... .*)

B Discussing future trends

Interview 

This is an interview with an oil expert.

Pregunta ¿Cree usted que el petróleo seguirá siendo la principal fuente de energía en el futuro?

Respuesta El petróleo constituye la principal fuente de energía del globo y, en 1990, suministraba el 46 por ciento de toda la energía. Su contribución se mantendrá, probablemente, en el orden del 35–40 por ciento, hasta fines de siglo.

Pregunta ¿Tendremos que continuar dependiendo del Medio Oriente para satisfacer nuestra demanda?

Respuesta Hay que tener en cuenta que más de la mitad de las reservas conocidas del planeta están en el Medio Oriente y esta zona continuará siendo el mayor productor del mundo. Pero si no se añaden otras reservas a las ya comprobadas de toda la Tierra, éstas durarán menos de 20 años, al ritmo actual de consumo.

Pregunta ¿Cree usted que esto llegará a suceder?

Respuesta No, lo que pasará es que habrá que hacer frente a la demanda de energía mediante la explotación de yacimientos costosos, situados en aguas profundas y lugares cada vez más hostiles. También será necesario utilizar más y más las fuentes no tradicionales de energía. Pero el petróleo todavía será el principal combustible en muchos lugares.

(*Shell Briefing Service*, No 3, adapted)

Practice

1 Summary

Write a brief summary in English of the contents of the above interview.

2 Answer in Spanish

(*a*) ¿Qué porcentaje de la energía suministraba el petróleo en 1990?
(*b*) ¿En qué orden se mantendrá su contribución? ¿Hasta cuándo?
(*c*) ¿Qué porcentaje de las reservas mundiales de petróleo están en el Medio Oriente?
(*d*) ¿Cuánto durarán las reservas mundiales al ritmo actual de consumo?
(*e*) ¿Cómo habrá que hacer frente a la demanda?
(*f*) ¿Qué fuentes de energía será necesario utilizar?

3 Translation

You are a freelance translator and have been asked to translate the following text into English.

El mundo que nos espera

Dentro de pocos años la tierra estará poblada por 6.250 millones de habitantes, un 10 por 100 más que en la actualidad. El crecimiento de la economía y la población trabajadora habrá disminuido sensiblemente y el consumo energético mundial sobrepasará los 14.000 millones de toneladas equivalentes de petróleo. Nuevos estilos de vida se implantarán en las sociedades desarrolladas. Los países del Tercer Mundo, con una población de 4.500 millones en el año 2000, se hallarán cada vez más diversificados y a ellos corresponderá la cuarta parte de la producción industrial mundial. Frente a estas previsiones, cuatro aventuras tecnológicas cambiarán sustancialmente al hombre y su mundo: la electrónica, la biología, la producción de energía y la utilización del espacio y los océanos.

(*Cambio 16*, Nº 422, adaptado)

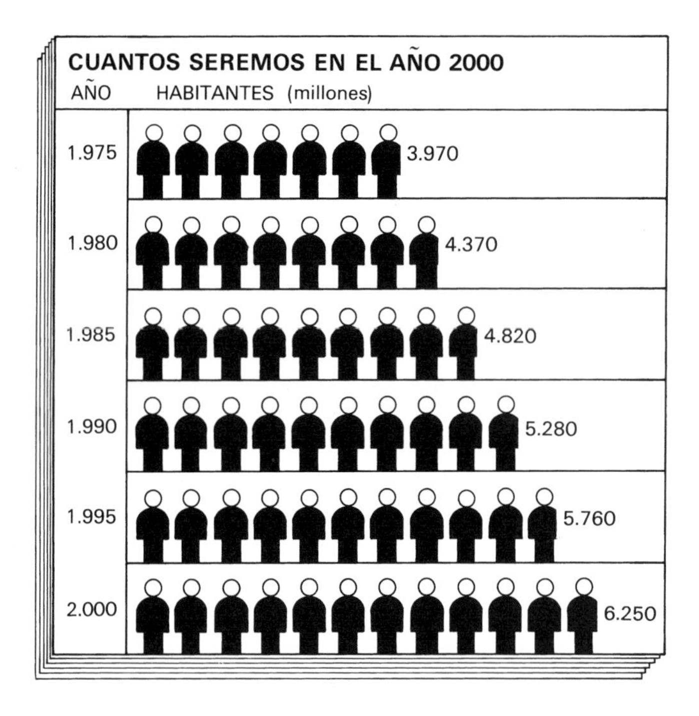

4 Reading

The following is an announcement of price increases in Spain. Study the items which are due to go up and the percentage or amount by which they will go up, then answer the questions which follow.

Useful words

subir to go up
bajar to go down
aumentar to increase
subida (media) (*f*) (average) increase
alza (*f*) increase
tabaco negro (*m*) dark tobacco
tabaco rubio (*m*) Virginia tobacco
impuesto (*m*) tax
viajero (*m*) traveller
carretera (*f*) highway

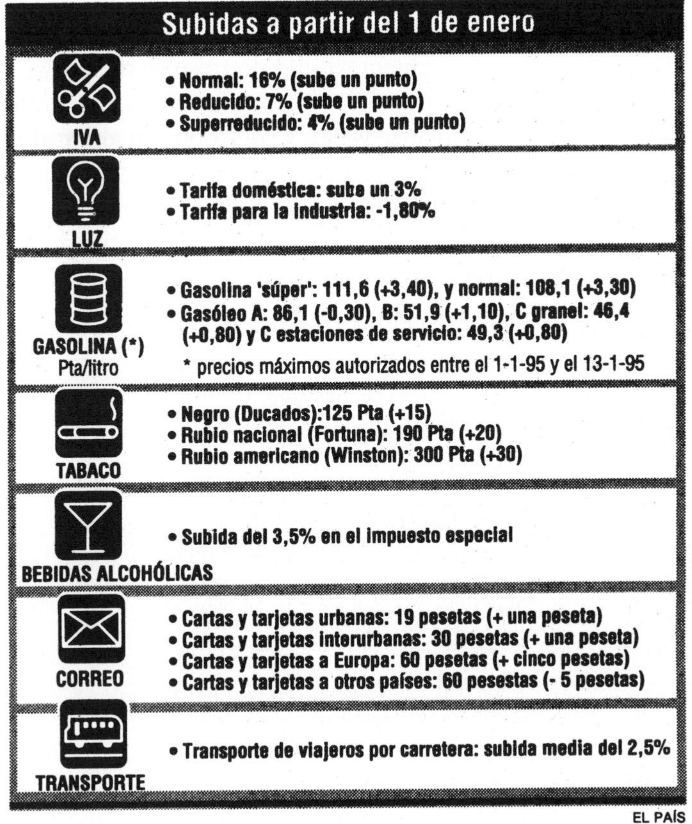

Subidas a partir del 1 de enero

IVA
- Normal: 16% (sube un punto)
- Reducido: 7% (sube un punto)
- Superreducido: 4% (sube un punto)

LUZ
- Tarifa doméstica: sube un 3%
- Tarifa para la industria: -1,80%

GASOLINA (*) Pta/litro
- Gasolina 'súper': 111,6 (+3,40), y normal: 108,1 (+3,30)
- Gasóleo A: 86,1 (-0,30), B: 51,9 (+1,10), C granel: 46,4 (+0,80) y C estaciones de servicio: 49,3 (+0,80)

* precios máximos autorizados entre el 1-1-95 y el 13-1-95

TABACO
- Negro (Ducados):125 Pta (+15)
- Rubio nacional (Fortuna): 190 Pta (+20)
- Rubio americano (Winston): 300 Pta (+30)

BEBIDAS ALCOHÓLICAS
- Subida del 3,5% en el impuesto especial

CORREO
- Cartas y tarjetas urbanas: 19 pesetas (+ una peseta)
- Cartas y tarjetas interurbanas: 30 pesetas (+ una peseta)
- Cartas y tarjetas a Europa: 60 pesetas (+ cinco pesetas)
- Cartas y tarjetas a otros países: 60 pesestas (- 5 pesetas)

TRANSPORTE
- Transporte de viajeros por carretera: subida media del 2,5%

EL PAÍS

(*a*) ¿Cuántos puntos subirá el IVA normal?
(*b*) ¿En qué porcentaje subirá la tarifa de la luz para el servicio doméstico?
(*c*) Y la tarifa para la industria, ¿subirá también?
(*d*) ¿Cuánto costará el litro de gasolina súper?
(*e*) ¿Cuánto valdrán los cigarrillos rubios americanos?
(*f*) ¿Qué pasará con las bebidas alcohólicas?
(*g*) ¿Cuánto costará enviar una carta o tarjeta de una ciudad a otra en España?
(*h*) ¿Qué alza tendrán las cartas y tarjetas a Europa?
(*i*) ¿Aumentará o bajará el precio del transporte?

5 Ad hoc interpreting

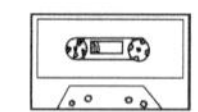

You are acting as an interpreter between an English speaker who works in the tourist industry in his country and an official from the *Dirección General de Turismo* in Spain.

Listening comprehension

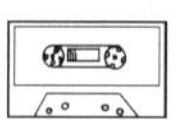

This is an interview with a Latin American politician. Summarise briefly in English the answers given by him to the following questions.

(*a*) What do you think of the present economic crisis?
(*b*) What do you think the government should do to solve the crisis?
(*c*) It is said that many of the country's problems stem from bad administration on the part of previous governments. What is your opinion about this?
(*d*) During your political campaign you often spoke of the need for greater austerity. Could you give some concrete examples?

Reading comprehension

In the passages which follow you will read about the climate in Spain, tourism – one of the country's main sources of income – and industrial development. First, study the key words which precede each passage, then read the texts and answer the questions which follow them.

A El clima en España

antiguo old
viaje (*m*) journey
a través de through
paisaje (*m*) landscape
meseta central (*f*) central plateau
proveniente coming from
sierra (*f*) mountains
nevazón (*f*) snowfall
sequedad (*f*) dryness
tanto... como as ... as

España es uno de los países más grandes de Europa. Su extensión es de 504.000 km^2, lo que incluye el territorio peninsular y dos archipiélagos: las Islas Canarias, frente al antiguo Sahara español en el Africa occidental y las Islas Baleares en el mar Mediterráneo. En un viaje a través del territorio español usted observará la enorme variedad de climas y paisajes. En la Meseta central las temperaturas son extremas, muy bajas durante el invierno, con vientos fríos provenientes de la sierra, algunas lluvias y nevazones en las partes altas. En los meses de verano el clima es seco y muy caluroso.
La sequedad de la Meseta contrasta con el clima húmedo del noroeste, donde llueve frecuentemente tanto en invierno como en verano. En la costa del Mediterráneo y en la parte sur de la Península los inviernos son cortos y las temperaturas moderadas, aunque los veranos pueden ser extremadamente calurosos, especialmente en el interior de Andalucía.

1 Answer in Spanish

(*a*) ¿Cómo es el clima de la Meseta Central?
(*b*) ¿Es seco o húmedo el clima del noroeste?
(*c*) ¿Cómo son los inviernos en la costa del Mediterráneo y en el sur?
(*d*) ¿Qué región se caracteriza por tener temperaturas muy altas en verano?

B Turismo en estado de alerta

poner nervioso a alguien to make someone uneasy
disminuir to decrease
cansancio (m) tiredness
mesón (m) bar, restaurant
sentirse atraído por to feel attracted/drawn by
cálido warm
empujar to push
esparcimiento (m) recreation, relaxation
limpio clean
torre de apartamentos (f) tower block
sumarse to be added
inmobiliaria (adj) property
sin olvidar without forgetting
amabilidad (f) politeness
siempre hubo poca there was always little
perder puntos to lose points
de un tiempo a esta parte for some time now
añadir to add
hasta even
dudar to doubt
acabar por to end up by

Con cincuenta millones de visitantes y casi veinte de turistas nacionales al año, nuestro país se mantiene como una gran potencia turística, pero diversos factores están poniendo nerviosos a los propietarios de hoteles, agencias de viajes, compañías chárter de aviación e incluso empresas de alquiler de automóviles. ¿Cuáles son los factores que han hecho disminuir el turismo?

Los turistas buscan nuevos horizontes

El cansancio de los turistas es uno de los factores clave. Después de tres décadas tomando el sol en la misma playa, comiendo pescado frito y paella en los mismos mesones, la mayoría de nuestros visitantes – europeos, mayormente – se sienten atraídos por otros soles, si no más cálidos, sí distintos. Por otra parte, los vientos ecológicos y naturalistas empujan al veraneante hacia lugares de esparcimiento más naturales, con playas más limpias y con menos torres de apartamentos.
Al deterioro del paisaje se ha sumado también el de la calidad, tanto

inmobiliaria como de consumo, sin olvidar el esencial del servicio. La amabilidad del personal hostelero, no la profesionalidad, que siempre hubo poca, ha perdido muchos puntos.
El económico es otro de los puntos clave. De un tiempo a esta parte la peseta es una de las monedas fuertes de Europa y el cambio resulta para muchos menos favorable. Si a lo anterior añadimos un precio más caro, hasta los más entusiastas pueden dudar y acabar por elegir otras ofertas.

(Adaptado de 'Turismo en estado de alerta', *Revista Carta de España Nº 439*)

1 Summary

What factors have contributed to a decrease in tourism in Spain? Summarise in English the main points in the passage **Turismo en estado de alerta**.

C El desarrollo industrial español

hoy en día nowadays
tardío late
alcanzado reached
inversión extranjera (*f*) foreign investment
ampliar to expand
avance (*m*) progress

España se encuentra hoy en día entre las diez naciones más industrializadas del mundo. El desarrollo industrial español ha sido tardío en comparación con el de otras naciones europeas como Gran Bretaña, Francia y Alemania.
El rápido progreso alcanzado después de los años sesenta responde a una serie de factores, entre ellos el desarrollo del turismo, la obtención de créditos externos y la inversión extranjera, que permitieron al país crear nuevos polos de industrialización y ampliar los ya existentes. A partir del 1 de enero de 1986, fecha de la integración de España a la Comunidad Económica Europea, el país ha logrado un gran avance económico a través de la transformación y modernización del sector industrial y de su infraestructura, hasta entonces anticuada y deficiente.
Entre los centros industriales más importantes de hoy están Madrid, Barcelona, Bilbao, Valencia y Zaragoza. Varias otras ciudades han alcanzado un grado de industrialización mediano.

1 Translation

Translate into English the passage **El desarrollo industrial español**.

Summary

A Talking about future plans

Desde el aeropuerto nos iremos al hotel.	*From the airport we'll go to the hotel.*
El primer día visitaré Cuernavaca.	*(On) the first day I'll visit Cuernavaca.*

B Discussing future trends

¿Cree usted que el petróleo seguirá siendo la principal fuente de energía en el futuro? *Do you believe that oil will continue to be the main source of energy in future?*
Su contribución se mantendrá en el orden de 35–40 por ciento.
Its contribution will remain steady at around 35–40 per cent.

Grammar

1 The future tense

-ar, **-er** and **-ir** verbs have the same endings:

visitar	**comer**	**vivir**
visitar**é**	comer**é**	vivir**é**
visitar**ás**	comer**ás**	vivir**ás**
visitar**á**	comer**á**	vivir**á**
visitar**emos**	comer**emos**	vivir**emos**
visitar**éis**	comer**éis**	vivir**éis**
visitar**án**	comer**án**	vivir**án**

Visitará Cuernavaca.	*He/she will visit Cuernavaca.*
Visitaremos a la familia.	*We will visit the family.*
Visitarán el palacio.	*You/they will visit the palace.*

The future tense refers to events that have not yet taken place. It is used most in written and formal language; in everyday speech it tends to be replaced by the **voy a** form and it is even possible to use the present tense with a future meaning, as in **Vuelve mañana**. *He's coming back tomorrow.* (See too Unit 12, page 165 for the future of probability.)

2 Irregular verbs (future tense)

caber (*to be room for*) **cabré, cabrás, cabrá, cabremos, cabréis, cabrán**

decir (*to say, to tell*) **diré, dirás, dirá, diremos, diréis, dirán**

haber (*to have*) **habré, habrás, habrá, habremos, habréis, habrán**

hacer (*to do, to make*) **haré, harás, hará, haremos, haréis, harán**
poder (*to be able*) **podré, podrás, podrá, podremos, podréis, podrán**
poner (*to put*) **pondré, pondrás, pondrá, pondremos, pondréis, pondrán**
saber (*to know*) **sabré, sabrás, sabrá, sabremos, sabréis, sabrán**
salir (*to leave*) **saldré, saldrás, saldrá, saldremos, saldréis, saldrán**
tener (*to have*) **tendré, tendrás, tendrá, tendremos, tendréis, tendrán**
venir (*to come*) **vendré, vendrás, vendrá, vendremos, vendréis, vendrán.**

3 The future perfect tense

The future form of **haber** + past participle

	(**-ar** verbs)	(**-er** verbs)	(**-ir** verbs)
habré	termin**ado**	com**ido**	sal**ido**
habrás	termin**ado**	com**ido**	sal**ido**
habrá	termin**ado**	com**ido**	sal**ido**
habremos	termin**ado**	com**ido**	sal**ido**
habréis	termin**ado**	com**ido**	sal**ido**
habrán	termin**ado**	com**ido**	sal**ido**

Habrá terminado. *He/she will have finished.*
Habremos comido. *We will have eaten.*
Habrán salido. *You/they will have left.*

The future perfect is used for speculation about what has probably happened or been done:

El crecimiento de la economía y de la población trabajadora **habrá disminuido** sensiblemente. *The growth of the economy and the working population will have diminished noticeably.*

4 Expressing probability

Su contribución se mantendrá, **probablemente**, en el orden del 35–40 por ciento. *Its contribution will probably remain in the region of 35–40 per cent.*

5 Mientras

Mientras *(while)* is used to link two items together:

Mientras se terminan los trámites de alojamiento saldremos en autocar. *While the accommodation arrangements are being made we shall go out on a bus ride.*

Hablaré con el recepcionista **mientras** tú desayunas. *I shall speak to the receptionist while you have breakfast.*

Unidad 8

Doble a la izquierda

What you will learn in this unit
- To ask and give directions
- To give instructions

A Asking and giving directions

Dialogue 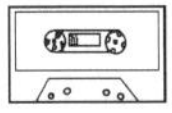

Study the maps and the conversations which follow.

1 En la Ciudad de México (Junto a la Fuente de Diana Cazadora).

Señorita ¿Puede decirme dónde está la Calle Liverpool, por favor?

Señor Sí, mire, baje hasta la Avenida Chapultepec, luego doble a la izquierda y continúe por Chapultepec hasta la Avenida de Los Insurgentes. Allí doble a la izquierda otra vez. La primera calle es la Calle Liverpool.

Señorita Muchas gracias.

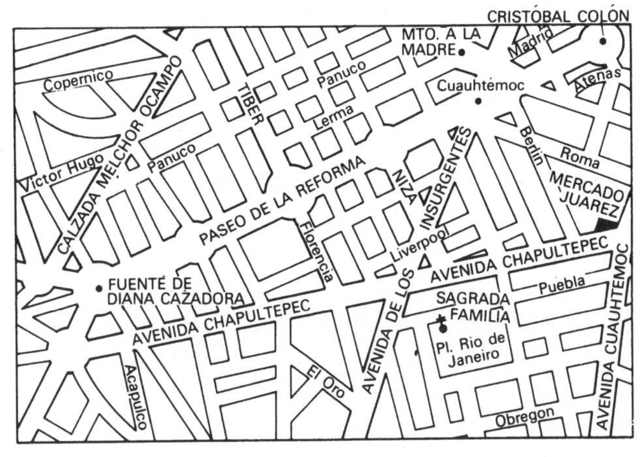

2 En Sevilla

Conductor Por favor, ¿la carretera para Cádiz?

Transeúnte Mire usted, suba por esta calle hasta el final. Allí doble a la izquierda y siga todo recto hasta la carretera de Cádiz, que le llevará primero a Jerez. Cruce Jerez y al llegar a un cruce verá usted una desviación hacia Cádiz.

Conductor ¿Sabe usted a qué distancia está?

Transeúnte Está a unos ciento veinticinco kilómetros.

Conductor Muchas gracias.

Transeúnte De nada.

Practice

1 Get together with another student and ask and give directions using the map on page 85.

Useful words and phrases

(seguir/ir)	**siga/vaya todo recto**	*go straight on*
(doblar)	**doble a la derecha/izquierda**	*turn right/left*
(cruzar)	**cruce (la plaza)**	*cross (the square)*
(coger)	**coja (esta calle)**	*take (this road)*
(subir)	**suba por (esta calle)**	*go up (this street)*
(bajar)	**baje por (esta calle)**	*go down (this street)*

2 Letter-writing

A Spanish-speaking person is coming to see you from abroad. Complete the letter opposite, giving precise directions on how to get to your place of work or home from the nearest airport, station or bus stop.

Useful words and phrases

al llegar a... tome/coja...	when you get to ... take ...
transborde/cambie en...	change at ...
bájese en...	get off at ...
al salir de (la estación)...	when you leave (the station) ...

> 30 de mayo de 19 ...
>
> Estimado señor Riquelme:
>
> En respuesta a su carta de 21 de mayo me es muy grato enviarle algunas indicaciones sobre cómo llegar hasta nuestra dirección.
>
> ....
>
> ....
>
> ....

3 Get together with another student and make up conversations based on this situation:

Student A: You are on business in a Spanish town and would like to take the opportunity of doing some sightseeing. You ask one of the employees at the company you are visiting how to get to the main tourist spots.

Student B: A Spanish-speaker is visiting your place of work. He would like to visit some of the main sights in your town. Give precise directions on how to get to each place by public transport or on foot (*a pie*).

Useful words and phrases

museo (*m*) museum
catedral/iglesia (*f*) cathedral/church
galería de arte (*f*) art gallery
parque (*m*) park
sala de conciertos (*f*) concert hall
río (*m*) river
puente (*m*) bridge
ayuntamiento (*m*) town hall
Casa de Gobierno (*f*) Government House
palacio (*m*) palace

4 Writing

Read this note and study the map overleaf.

Para ir de Barcelona a Figueras tome la carretera de Gerona, todo recto, cruce Gerona y siga por la carretera que va a La Junquera hasta Figueras.

Now look at the map and complete these paragraphs:

(*a*) Para ir de Barcelona a Port-Bou …
(*b*) Para ir de Port-Bou a Palamós …

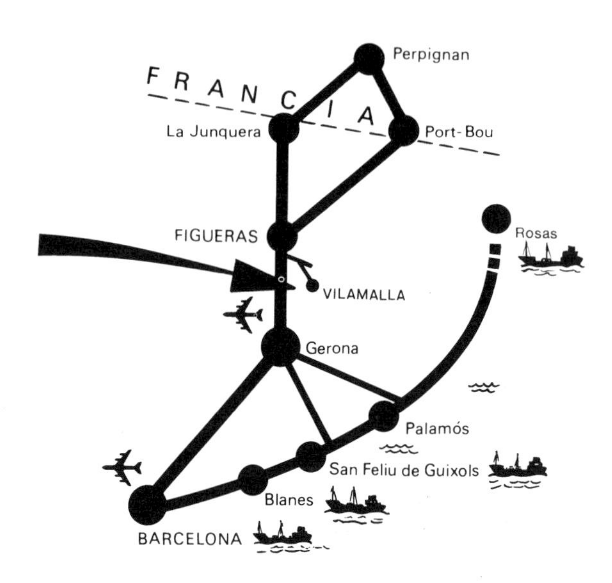

B Giving instructions

Dialogue 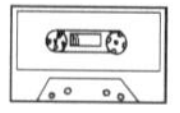

Isabel is giving some instructions to the messenger boy.

Isabel Antonio, por favor, venga aquí un momento.

Antonio Sí, dígame.

Isabel Mire, vaya usted al banco e ingrese estos cheques en la cuenta del señor García. Después pase por Correos y eche estas cartas. La carta para Nueva York envíela certificada. También tráigame treinta sellos de sesenta pesetas y cómpreme mil doscientas pesetas de papel de Estado.

Antonio De acuerdo. ¿Eso es todo?

Isabel Nada más. Y no tarde mucho por favor, que quiero enviarle a la papelería.

Antonio Vale.

BANCO DE MADRID

COMPENSACION

EL BANCO DE MADRID abona (s b.f.) en la cta. n.º 47928910

de Carlos García Serrano

el importe total de los talones y cheques detallados a continuación, que, para su compensación, nos entrega

D. Antonio Ríos

Por el BANCO DE MADRID

¿DESEA QUE EL BANCO AVISE AL BENEFICIARIO DE ESTA ENTREGA?

BANCO DE MADRID, S. A. - Reg. Mer. Madrid, hoja 2939, folio 169, tomo 905

NUMERO	BANCO	PESETAS
3692154	Hispanoamericano	51000 =
4158733	Bilbao	104530 =
5063013	Madrid	4401050

16 de Octubre de 1996

Firma del que hace la entrega

TOTAL ➡ 19954050

Certificación de la máquina

ROGAMOS RELLENEN ESTE IMPRESO UTILIZANDO MAQUINA DE ESCRIBIR O BOLIGRAFO

Este documento extendido sin enmienda, sólo será válido con las firmas del Ayudante de Caja y un Apoderado, o la de aquél y autenticación mecánica.

Mod. 10.022

Practice

1 Answer in Spanish

(*a*) ¿Adónde tiene que ir primero Antonio?
(*b*) ¿Qué tiene que ingresar?
(*c*) ¿En qué cuenta?
(*d*) ¿Adónde debe ir después? ¿Para qué?
(*e*) ¿Cómo tiene que enviar la carta a Nueva York?
(*f*) ¿Cuántos sellos tiene que traer? ¿De qué valor?
(*g*) ¿Qué más tiene que comprar?

2 Oral situation

Get together with another student and make up a conversation based on this situation:

Student A: You are a manager at a company in a Spanish-speaking country. This morning you call your secretary and ask her to telephone Línea Aérea Nacional and book you a single ticket to Frankfurt for tomorrow morning. You also ask her to reserve a table for two at Restaurante Los Gitanos for 9 o'clock; and to take a letter to señor Tanaka at the Hotel Panamericano. She must go to the hotel before 11 o'clock because señor Tanaka is returning to Japan after lunch.

Student B: You are a secretary at a company in a Spanish-speaking country. This morning your boss calls you to give you some instructions.

Useful words and phrases

llame por teléfono... telephone...
reserve... book/reserve...
lleve... take...
vaya... go...

3 At sight translation

You are staying at a hotel in a Spanish-speaking country. In your room you find the following instructions telling you what to do in case of fire. Study the instructions and translate them at sight.

En Caso de Incendio

Si descubre un incendio:

- **Comunique rápidamente a RECEPCIÓN la situación del FUEGO.**
- **Mantenga la calma: no grite ni corra.**
- **Si se prende su ropa tiéndase en el suelo y ruede. Si hay humo abundante gatee.**
- **Abandone su habitación, CERRANDO la puerta. La escalera más próxima se halla a 3m a la derecha. Otra salida posible se encuentra a 16 m a la derecha.**
- **No utilice los ascensores.**

SI LAS SALIDAS ESTÁN BLOQUEADAS:

- **Permanezca en la habitación, colocando ropas húmedas en las ranuras de las puertas.**
- **Hágase ver por la ventana.**

4 Summary

You are an executive working for a multinational company. As part of your job you are often requested to give talks to other members of the staff and to people outside the company. On your desk this morning you find a memo from the Public Relations Manager (*Gerente de Relaciones Públicas*) giving instructions to people who are invited to give talks. Read these instructions carefully and write brief notes in English on each point.

Imagen de la Empresa

"Presentaciones y Charlas"

Cada día es más frecuente que tengamos que dar presentaciones y/o charlas al personal o a terceros. Entregamos en este anexo una serie de datos que creemos podrán ser útiles en estos casos.

(a) *Usted: el charlista*

(i) Prepare su tema, domínelo.

(ii) Ensáyelo en voz alta.

(iii) Mídalo en tiempo.

(iv) Póngase en el papel del receptor que no

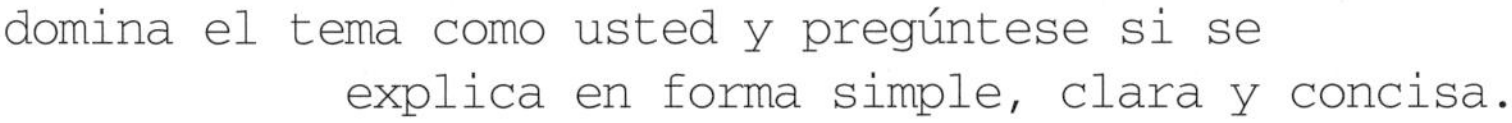

domina el tema como usted y pregúntese si se explica en forma simple, clara y concisa.

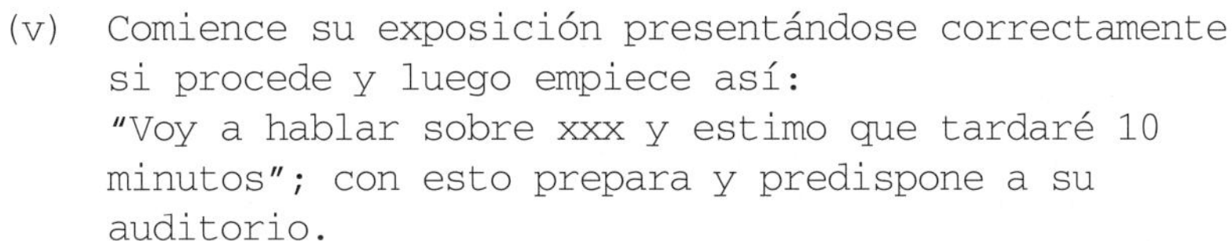

(v) Comience su exposición presentándose correctamente si procede y luego empiece así: "Voy a hablar sobre xxx y estimo que tardaré 10 minutos"; con esto prepara y predispone a su auditorio.

(b) *Su equipo audiovisual*

Si va a utilizar equipo audiovisual:

(i) Conozca de antemano su equipo y cómo funciona si es que lo va a manejar usted mismo.

(ii) Pruébelo en las condiciones de luz y espacio donde lo manejará.

(iii) Tenga repuestos a mano: bombillas, cintas, etc.

(iv) Recuerde la regla de oro en los equipos: "Si hay algo que pueda fallar, fallará".

(v) Mida su voz respecto al oyente más alejado que va a tener presente en su charla con el fin de evitar el: "¿Pueden oírme allá atrás...?"

(c) *Ayudas visuales*
Si las va a utilizar, ya sean diapositivas, transparencias, gráficos, pizarras, etc.
(i) Compruebe antes el orden en caso de transparencias y diapositivas, ordénelas y enumérelas, verifique su correcta posición en la máquina.
(ii) Gráficos: Utilice gráficos simples, fáciles de leer, letras grandes. Cuide el uso del color, dosifique la información; es preferible 3 ó 4 gráficos simples en una secuencia a uno solo lleno de datos, cifras, flechas y colores.
(iii) Al utilizar la pizarra, trate de usar buena letra y cifras legibles; borre lo que no usa con el fin de evitar distracciones.
Buena suerte en su próxima charla y/o presentación.

5 Translation

You are working for an international bank. You have been asked to translate into English the following instructions for operating a cashpoint (*un cajero automático*).

El cajero funcionará introduciendo su tarjeta personal Caja Abierta y pulsando en el teclado su número secreto. Después elija la operación que desee efectuar. Siga las instrucciones de la pantalla en castellano o en inglés. Como usted desee. Y en segundos... todo resuelto. Además con su tarjeta podrá operar en cualquier cajero del Banco Nacional.
Sin más trámites.
Ya ve qué fácil. Y qué completo.

6 Writing

Look at the two ways in which these instructions have been written.

Memos internos
Evitar los memos: 'Juan Pérez para Planta...'
Evitemos los memos...
Individualizar al receptor: 'Juan Pérez para Raúl Gómez'.
Individualicemos al receptor...
Ordenar racionalmente la consulta o información.
Ordenemos racionalmente...
No omitir fecha y referencia.
No omitamos fecha y referencia...

Terminar el memo con un 'gracias'.
Terminemos el memo…

Now rewrite these instructions following the examples in italics above:

Memos Internos

Ser especialmente cuidadosos en la ortografía, puntuación, redacción.

……………………………………………………………………………………………

No abusar de adjetivos o epítetos.

……………………………………………………………………………………………

Mantener las comunicaciones escritas: sobrias, claras y cordiales.

……………………………………………………………………………………………

Listening comprehension 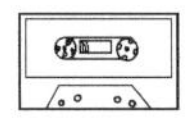

Listen to these instructions given by señor García to Isabel. As you listen, write a shortened version in Spanish of each instruction. Like this:

Instrucción: 'Llame por teléfono a Turismo Iberia y resérveme un billete para el primer avión a Londres el lunes 26 por la mañana.'
Nota: *'Llamar a Turismo Iberia y reservar billete avión lunes 26 a.m.'*

Reading comprehension

A While browsing through a Spanish newspaper, you see the following notice prepared by the *Dirección General de Tráfico* in Spain, which gives some useful advice for motorists. What exactly does it say? First, study these key words.

buena suerte (*f*) good luck
disfrutar to enjoy
plenamente fully
tener prisa to be in a hurry, to hurry
tan… como as … as
proponerse to plan, to intend to
vida (*f*) life
por adelante ahead
recordar to remember
consejo (*m*) advice
desplazamiento (*m*) trip, journey
abrocharse to fasten
cinturón (*m*) belt
adelantar to overtake
cansancio (*m*) tiredness
conducir to drive
casco (*m*) helmet
ciclomotor (*m*) moped
trayecto (*m*) journey
hermoso beautiful

NO TENGA PRISA, TIENE TODA LA VIDA POR DELANTE

Su buena suerte también tiene un límite. Si quiere disfrutar plenamente de sus vacaciones, no tenga prisa. Respetando los límites de velocidad llegará tan lejos como se proponga. Sólo es cuestión de tiempo y tiene toda la vida por delante.

Y recuerde nuestros consejos, si va a hacer un largo desplazamiento:

- Revise los puntos vitales de su vehículo.
- Abróchese siempre el cinturón.
- Respete los límites de velocidad.
- Mantenga la distancia de seguridad.
- No adelante sin visibilidad.
- Al mínimo síntoma de cansancio, no conduzca.
- Póngase el casco si viaja en moto o ciclomotor.
- **Siga estos consejos también en los trayectos cortos.**

LA VIDA ES EL VIAJE MAS HERMOSO

(*Diario Ya*, Madrid)

1 Writing

Write a similar version of the advice given to motorists by the *Dirección General de Tráfico* in your own language.

B La revolución de los ejecutivos

What kind of executives are companies looking for nowadays? The following list of characteristics was drawn up as a result of a survey conducted among companies by four consulting firms in Chile. Before you read the text, study these key words, then do the exercise which follows.

Consolidación 2

(Unidades 4–8)

1 Reading

México: Conquista y Colonia

La llegada de los españoles en 1519 inició una de las etapas más cruentas en la historia de México, la que culminó con el sitio y destrucción de Tenochtitlán, la capital del imperio azteca, en el año 1521, y la captura y muerte de Cuauhtémoc, el último emperador. Luego de la rendición de Tenochtitlán, el conquistador Hernán Cortés comenzó la reconstrucción de la ciudad y la distribución de las tierras y los nativos entre los soldados españoles. Luego los españoles pasaron a fundar ciudades elegantes con sus plazas, catedrales y hasta universidades. La de México, por ejemplo, fundada en 1553 por el segundo virrey, fue la primera en América.

Re-arrange these sentences in the sequence in which they appear in the text:

1 Los españoles destruyeron la ciudad azteca de Tenochtitlán.
2 Se creó la Universidad de México.
3 Los españoles llegaron a México.
4 Cortés comenzó la reconstrucción de Tenochtitlán.

2 Reading

You are travelling to Barcelona on business. During the flight you are given a Spanish newspaper and one of the sections you read is the weather report. Look up all the information regarding Catalonia and Barcelona in particular.

Tras la primavera, mal tiempo

SOPLAN los vientos del sector de Levante en todos los niveles de la atmósfera. Son vientos húmedos que conllevan el mal tiempo, entendiendo como tal el que se presenta húmedo. nuboso y frío o fresco. El peor tiempo, el tiempo más húmedo y frío, se localizará en el área mediterránea, donde se producirán los chubascos más importantes. En Cataluña, con nubosidad abundante y frecuentes períodos de cielo cubierto, la temperatura quedará baja y el ambiente será fresco. Hacia Galicia, el tiempo será más soleado y cálido.

Jueves: pocos cambios

Es posible que comiencen a abrirse claros entre nubes más o menos duraderos, pero el tiempo en general seguirá caracterizándose por ser húmedo y fresco, como los vientos que lo determinan.

Ayer: lluvia

Después de muchos días de tiempo primaveral, sin lluvia alguna, han vuelto las nubes y las lluvias. La lluvia se produjo ayer en casi todo el país, aunque las cantidades arrojadas fueron muy poco importantes, inapreciables en la mayoría de los observatorios que miden lluvias. En Barcelona llovió varias veces, pero cantidades inapreciables.

	Barcelona	Madrid
Tª Máx.	13,6°C	18,0°C
Tª Min.	11,4°C	10.0°C
Humedad	alta	baja
Viento	flojo	flojo
Nubes	cubierto	muchas
Horas sol	0,0 h.	0,0 h.
Ambiente	húmedo	templado
Lluvia	0,2 l/m2	0,1 l/m2

(*El Periódico*)

Answer in Spanish

(*a*) ¿En qué parte de España hará más frío y humedad?
(*b*) ¿Dónde habrá nubosidad abundante?
(*c*) ¿Serán altas o bajas las temperaturas en Cataluña?
(*d*) ¿Qué tiempo hizo ayer en Barcelona?
(*e*) ¿Cuál fue la temperatura máxima que hizo ayer en esa ciudad?
(*f*) ¿Cuál fue la temperatura mínima?
(*g*) ¿Fue alta o baja la humedad?
(*h*) ¿Hizo sol en Barcelona?

3 Reading

During a visit to Barcelona you decide to hire a car and spend the weekend on the Costa Brava. It is a bank holiday and driving will be difficult. This leaflet carries suggestions as to how you can avoid the famous *caravana* on the way back at least:

Para una «Operación retorno» sin complicaciones

Aconsejan evitar las horas punta

Aunque parte de los barceloneses que han aprovechado estas «minivacaciones» de Semana Santa para salir de la ciudad regresaron ayer, hoy se espera que la «operación retorno» alcance su punto culminante.

La Jefatura Provincial de Tráfico recomienda para este retorno que se intente evitar las «horas punta», que se supone serán desde las tres hasta las ocho de la tarde de hoy. Se teme que durante esas cinco horas se produzcan los atascos más importantes de la Semana Santa.

La nota positiva de las operaciones salida y retorno de este año es que hasta el momento se han registrado menos accidentes de tráfico que el año pasado.

Para facilitar el regreso la Jefatura Provincial de Tráfico ha ampliado las vías de entrada con el establecimiento de conos en las principales carreteras y autopistas.

Tráfico recomienda a los conductores que lleguen a Cuatro Caminos por carretera, en dirección a Barcelona, que entren directamente a la calzada contraria, utilizando el carril de salida a Molins, que también se cambiará de sentido para esta operación.

Asimismo, estará prohibida la circulación a los camiones hoy desde las 12 a las 24 horas en las carreteras con más intensidad.

Answer in English

(*a*) What hours should you avoid?
(*b*) Have there been many accidents on the roads this year?
(*c*) What has the Jefatura Principal de Tráfico done to make driving easier?
(*d*) What could you do if you were driving to Barcelona via Cuatro Caminos?
(*e*) Will there be many lorries on the road?

4 Translation

You are working for an insurance company in a Spanish-speaking country. The management is preparing a publicity leaflet for distribution among the resident English-speaking community and you have been asked to translate this into English:

PROTECCION PARA APARTAMENTOS Y CASAS

USTED TENDRA protección para su casa, sus muebles, sus enseres domésticos, herramientas, ropa, joyas, máquinas fotográficas, dinero, etc., en su casa o lejos de ella (donde quiera que usted se encuentre).

USTED TENDRA protección para sus gastos adicionales de hotel, comidas, etc., mientras su apartamento o casa está en reparaciones por algún accidente o incendio.

USTED TENDRA protección para sus compromisos personales, accidentes o pérdidas que pueda sufrir su familia en su casa o lejos de ella.

USTED TENDRA protección para sus gastos médicos por accidentes o heridas causadas en su casa, sea usted o no el responsable.

5 At-sight translation

Read the following letter and translate it at sight:

Ciudad de México, 4 de mayo de 19 . .

Mr Ian Steel
Associate Director
Market Studies Ltd
29 Hampton Grove
Londres WC2N 7AP
Gran Bretaña

Distinguido señor:

De acuerdo con nuestra conversación telefónica del pasado jueves, me es grato hacerle llegar el catálogo general de nuestras publicaciones, en el que esperamos encuentre libros que sean de su interés.

Si desea adquirir alguno de ellos, le rogamos nos envíe su importe en libras, al cambio de 95 pesos cada una.

Quedamos a su disposición y le saludamos muy atte.

Miguel Donoso
Promoción Exterior
EDITORIAL COMERCIAL S.A.

6 Letter writing

Using the letter opposite as a model send a fax to Asociados Penteca, Avenida de los Insurgentes 1475, Colonia del Valle, México 5 D.F. and request a copy of their catalogue as there are several books that interest you. Ask whether you need to send any money by international transfer first (*enviar dinero por giro internacional*).

7 Interview

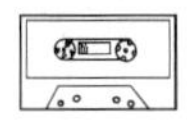

The financial correspondent of a Spanish newspaper interviews a Spanish government official. As the subject is external trade and this is of special interest to you, you decide to take brief notes in English of the main points of the interview.

Answer these questions in English from your notes:

(*a*) What steps will the government take to promote Spanish exports?
(*b*) What sectors of the economy will collaborate in this?
(*c*) What role will small and medium-sized industries play in the export trade?

8 Speaking

You are driving in a Spanish-speaking country and you have left your car in a garage for servicing. Study this list of instructions and then ask the mechanic to carry out each instruction as requested.

comprobar el nivel de aceite en el motor
comprobar el nivel del radiador
comprobar las presiones de los neumáticos, incluso el de repuesto
ver si todas las luces funcionan
rellenar la batería si es necesario
limpiar la superficie superior de la batería
rellenar el depósito del limpiaparabrisas
limpiar los parabrisas, los cristales de los faros y los espejos retrovisores

9 Speaking

You go off for a leisurely cup of coffee, and when you come back, ask the mechanic if he has carried out all the checks.

10 Speaking

Get together with another student and make up a conversation based on this situation:
Sr. Agustín Raventós of Electrodomésticos Tibidabo S.A. came to visit your company last week, but left his camera behind.

Student A: Ring Sr Raventós to say that a Peter Blake will be going to Spain next week (Monday the 16th) and will take the camera with him.

Student B: You are Sr. Raventós's secretary. You receive the above call, but Sr. Raventós is in a meeting and cannot be interrupted. Make the arrangements for Mr Blake to come to your office to leave the camera.

11 Reading comprehension

Read the following text, which concerns changes to the Yellow Pages in Barcelona, and answer the questions that follow.

Las Páginas Amarillas serán comarcales, bilingües y tendrán nuevo sistema de indexación.

SERVICIOS

Una filial de Telefónica ha cambiado el formato de las Páginas Amarillas por uno más especializado.

BARCELONA.– Los usuarios de las Páginas Amarillas en la ciudad de Barcelona pueden apreciar que las nuevas guías que se reparten desde ayer son diferentes a las que habían tenido hasta ahora. La publicación es bilingüe, sus contenidos no siguen el orden alfabético sino que aparecen agrupados por códigos numéricos recogidos en dos índices, uno en castellano y otro en catalán, que recogen hasta cuatro mil actividades diferentes.

Las nuevas Páginas Amarillas, editadas por Telefónica Publicidad e Información, empresa filial de Telefónica, ofrecen como novedad más significativa la edición de guías por comarcas o grupos de comarcas. Es decir, que ya no aparecerá, de momento, en las comarcas de Barcelona ninguna edición provincial de la guía. No ocurre lo mismo con Girona, Lleida y Tarragona, que aunque en un futuro Telefónica piensa modificarlas, por ahora conservarán el formato provincial. Sin embargo, ha habido algunos cambios y no por razones geográficas o territoriales. Se ha incluido l'Hospitalet en el Baix Llobregat y a tres ciudades del Barcelones en el Maresme, simplemente por razones de mercado. Según un portavoz de la compañía: 'No nos ha sido nada difícil determinar qué ciudades debían ir con qué comarcas; al final han mandado los criterios comerciales y, hasta cierto punto, por las razones técnicas. Es perfectamente lógico, por ejemplo, que los dos Valles tengan una sola guía, porque así los comerciantes se puedan dirigir no sólo a los clientes de su propia comarca, sino también a aquéllos de la comarca vecina que van a comprar igualmente. Las nuevas Páginas resultarán más caras por el precio del papel, es verdad, pero el nuevo sistema es más lógico, porque un comercial podrá dirigirse a toda su clientela potencial en su comarca, y no a toda la provincia, que es lo que pasaba antes.'

(Adaptación de *La Vanguardia*)

Answer the following questions in English:

(*a*) In what ways will the new Yellow Pages for Barcelona be different?
(*b*) Explain how the different *comarcas* (residential areas) will be affected. How does the spokesman justify the changes?
(*c*) Mention two specific examples of areas that have experienced change.
(*d*) Why will the new directories be more expensive?
(*e*) Why is the new system seen as being more practical?

Unidad 9

Espero que se mejore pronto

What you will learn in this unit
- To express hope
- To express possibility
- To give advice
- To make suggestions and recommendations
- To specify requirements

A Expressing hope, possibility and giving advice

Dialogue 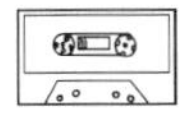

Paul Richards is not feeling well and calls a doctor to his hotel room.

Sr. Richards Buenas tardes, doctor.

Doctor Buenas tardes. ¿Qué le pasa?

Sr. Richards No me siento muy bien. Me duele la cabeza y tengo fiebre.

Doctor Tiéndase usted sobre la cama, que voy a hacerle un reconocimiento. Vamos a ver… ¿Ha estado usted mucho tiempo al sol?

Sr. Richards Sí, he estado tres horas al sol esta tarde.

Doctor No se preocupe usted. No es nada grave. Es posible que sea un principio de insolación y nada más.

Sr. Richards ¿Qué tengo que hacer doctor?

Doctor Tome mucho líquido, trate de reposar lo más que pueda y es mejor que no salga hasta que no se sienta mejor. En caso de que siga sintiéndose mal, llámeme. Vendré en seguida.

Sr. Richards Gracias. ¿Cuánto le debo, doctor?

Doctor Son ocho mil pesetas.

Sr. Richards Tenga, por favor. Cinco mil, seis mil, siete mil, y ocho mil pesetas.... Muchas gracias.

Doctor Espero que se mejore pronto. ¡Y tenga cuidado con el sol!

Practice

1 Answer in Spanish

(*a*) ¿Cómo se siente el señor Richards?
(*b*) ¿Qué le duele?
(*c*) ¿Por qué se siente mal?
(*d*) ¿Qué cree el doctor que tiene el señor Richards?
(*e*) ¿Qué le recomienda el doctor que tome?
(*f*) ¿Qué debe tratar de hacer el paciente?
(*g*) ¿Qué puede hacer en caso de que siga sintiéndose mal?
(*h*) ¿Cuánto son los honorarios del doctor?
(*i*) ¿Qué le recomienda el doctor al irse?

2 While on holiday in Spain you feel unwell and decide to visit a doctor. Study these expressions and then play the patient's role in the conversation below.

me duele el estómago/
tengo dolor de estómago — *I have a stomach ache*
he perdido el apetito — *I have lost my appetite*

Paciente (Greet the doctor)

Doctor Buenos días. Siéntese usted. ¿Qué le pasa?

Paciente (*Say you have a stomach ache and you've lost your appetite. You haven't felt well at all in the last two days.*)

Doctor ¿Y cuándo exactamente comenzó a sentirse mal?

Paciente (*Say it all started after a dinner at a restaurant with some friends. The stomach ache started soon after the meal.*)

Doctor ¿Qué comió usted?

Paciente (*Say you had a seafood cocktail with mayonnaise* (*cocktail de mariscos con mayonesa*) *and then you had fried fish* (*pescado frito*) *and salad.*)

Doctor Tiéndase usted en la camilla para hacerle un reconocimiento. (*The doctor examines you.*) Lo que usted tiene es una intoxicación muy leve. Es probable que los mariscos que comió hayan estado en malas condiciones. Esto sucede muy a menudo en verano.

Paciente (*Ask the doctor what you have to do and whether you need to take anything.*)

Doctor No es necesario que tome nada, pero es mejor que tome comidas ligeras hasta que se le pase el dolor de estómago. Coma arroz en blanco y no beba nada de alcohol.

Paciente (*Ask the doctor whether you need to come back.*)

Doctor No, no creo que sea necesario. Pero si no se repone usted, desde luego, vuelva y veremos qué podemos hacer.

Paciente (*Ask the doctor how much you owe him.*)

Doctor Son ocho mil quinientas pesetas.

Paciente (*After you pay, thank him and say goodbye.*)

3 Reading

La garganta, víctima del verano

Normalmente empieza como un síntoma más de un enfriamiento. El agua fría de la piscina, los deliciosos helados… La garganta se irrita y duele, al igual que la cabeza. La garganta está infectada y si la infección llega hasta la laringe, la ronquera será otro de los síntomas. Si el enfriamiento es considerable, la infección se extiende a toda la garganta irritándola y dando lugar a la faringitis. La garganta tiene un intenso color rojo con algunas manchas blancas y al enfermo le es difícil tragar. La fiebre es bastante frecuente en estos casos.

¿Qué hacer? Generalmente los síntomas mejoran en pocos días. Para calmar las molestias, gárgaras. Un vaso de agua templada en el que se ha disuelto una cucharada de miel y jugo de limón puede hacer milagros. O bien disuelva en el agua una cucharilla de sal o dos aspirinas. Los líquidos calientes, dejar de fumar, hablar poco y en voz baja ayudarán a que la garganta mejore en pocos días. Si pasados unos días las molestias persisten, es conveniente que consulte a un médico.

(*Protagonistas*, No 79)

Answer in Spanish

(*a*) ¿A qué puede deberse la irritación de la garganta?
(*b*) ¿En qué caso se produce la faringitis?
(*c*) ¿Qué color tiene la garganta en estos casos?
(*d*) ¿Qué otro síntoma se puede observar?
(*e*) ¿Hay fiebre?
(*f*) ¿Qué es asconsejable hacer para calmar las molestias?
(*g*) ¿Qué tipo de gárgaras se pueden hacer?
(*h*) ¿Es aconsejable beber líquidos fríos?
(*i*) ¿Qué otros consejos se dan?
(*j*) ¿Qué es conveniente hacer si las molestias persisten?

B Making suggestions and recommendations and specifying requirements

Dialogue 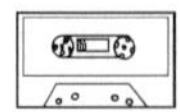

This is a conversation between an employee at an estate agent's (*Agencia Inmobiliaria*) and a businessman who wants to buy an office.

Empleada Buenos días, ¿qué desea?

Cliente ¿Tienen ustedes despachos en venta?

Empleada Sí, señor. En este momento tenemos dos o tres. ¿Qué tipo de despacho busca usted?

Cliente Pues, es imprescindible que sea céntrico.

Empleada En ese caso le puedo recomendar uno que tenemos en la Calle Gerona, en pleno centro de la ciudad. Es un despacho muy bonito y está totalmente amueblado.

Cliente ¿Qué medidas tiene?

Empleada Un momento… Tiene doscientos metros cuadrados de superficie. Le sugiero que lo vea. Estoy segura de que le gustará.

Cliente ¿En qué planta está?

Empleada Está en la primera planta. Este despacho tiene teléfonos y aire acondicionado.

Cliente ¿Y qué precio tiene?

Empleada Quince millones de pesetas, con facilidades de pago.

Cliente ¿Cuáles son las condiciones de pago?

Empleada Pues, tiene que dar una entrada de cinco millones, y el resto puede ser con un crédito hipotecario. La misma inmobiliaria puede ayudarle a tramitar el préstamo.

Cliente ¿Cuándo puedo verlo?

Empleada Cuando usted quiera, pero le sugiero que lo haga lo antes posible. Hay dos o tres personas más que están interesadas.

Cliente Quisiera verlo ahora mismo, si es posible.

Empleada Sí, está bien. Un momento que le daré la llave.

Practice

1 Answer in Spanish

(*a*) ¿Qué quiere comprar el cliente?
(*b*) ¿Tienen despachos en venta en la Agencia Inmobiliaria?
(*c*) ¿Qué tipo de despacho busca el cliente?
(*d*) ¿Cómo es el despacho de la Calle Gerona?
(*e*) ¿Qué superficie tiene?
(*f*) ¿En qué planta está?
(*g*) ¿Hace falta instalar teléfono en el despacho?
(*h*) ¿Qué precio tiene el despacho?
(*i*) ¿Cuáles son las condiciones de pago?
(*j*) ¿Cuándo puede verlo el cliente?
(*k*) ¿Qué la recomienda la empleada?
(*l*) ¿Hay algún otro interesado en el despacho?
(*m*) ¿Cuándo quiere verlo el cliente?

DESPACHO TOTALMENTE AMUEBLADO EN VENTA

Calle Gerona. Centro ciudad, Superficie 200 m². Aire acondicionado, teléfonos. Primera planta.

Precio 15.000.000 ptas.

2 Ad hoc interpreting 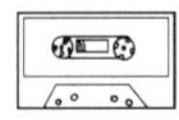

You go to an estate agent with an English-speaking friend who wants to rent an apartment in Fuengirola, Spain. Interpret for him and the estate agent.

3 Get together with another student and make up a conversation based on this situation:

Student A: You have been appointed representative for your company in a Spanish-speaking country and you go to an estate agent to rent an office. Say how long you want the office for, when and where you want it and how large it should be. There is one office that seems suitable. Ask for details such as rent, facilities, etc., and arrange to see it.

OFICINA EN ALQUILER

Alfonso IV, 43–45, 6ª Planta. Superficie 60 m². Terraza. Aseos. Ascensor, conserje, teléfono, puntos de luz. Parking opcional.

80.000 ptas. mes.

Student B: You are an estate agent in a Spanish-speaking country. A foreign customer comes in looking for an office to rent. Ask him to specify what sort of office he is looking for, when he wants it and other details such as length of time, location, size, etc. Give him information about one of the offices you have available and arrange for him to see it.

Useful words and phrases

quisiera alquilar... I'd like to rent
el alquiler rent
es imprescindible que sea (grande, pequeña, etc) It's got to be (big, small, etc)
es necesario (que esté en el centro, en las afueras, etc.) It's got to be (in the centre, in the outskirts, etc.)

4 Reading

RECOMENDACIONES JULIO:
¡Cuidado con los ladrones!
No dejes que se acumule en el buzón la correspondencia de un mes. Pide a la portera o a vecinos que recojan tu correspondencia diariamente.
Pídele a la persona que riega tus plantas que abra las ventanas, suba las persianas o encienda las luces. Avisa a los vecinos de las fechas de tus vacaciones.
Si sales un fin de semana deja encendido un pequeño transistor a pilas.
Comenta tus fechas de vacaciones sólo con personas muy allegadas, familia y vecinos. Evita hacerlo en el supermercado, quiosco, etc., porque no se sabe quién escucha y con qué intenciones.

Es importante que las llaves de tu piso las tenga alguna persona en tu edificio. Un escape de gas, agua, etc., puede hacer necesaria la entrada en tu casa mientras estás de vacaciones. Si no encuentran las llaves, los bomberos son expertos en abrir puertas, pero no es agradable tener que poner una nueva al regreso de vacaciones.

(*Protagonistas*, No 79)

Answer in Spanish

(*a*) ¿Cómo se puede solucionar el problema de la correspondencia?
(*b*) ¿Qué se puede pedir a la persona que riega las plantas?
(*c*) ¿A quiénes se recomienda avisar las fechas de las vacaciones?
(*d*) ¿Dónde se recomienda no comentar las fechas de las vacaciones? ¿Por qué?
(*e*) ¿Qué se puede hacer si se sale por un fin de semana?
(*f*) ¿Por qué es recomendable dejar las llaves del piso con alguna persona en el mismo edificio?

Listening comprehension 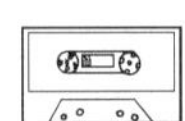

This is a broadcast for holiday-makers from a radio station in Madrid. Today's programme gives suggestions to those who would like to spend their holidays in a farmhouse or a camping site. The programme is in two parts. Listen to each part in turn and then answer the questions which follow:

Answer in English

1 (*a*) How far is Balerma from Almería?
(*b*) How far is it from Berja?
(*c*) Is it on the coast or inland?
(*d*) How many people can be accommodated in Balerma?
(*e*) In how many houses?
(*f*) Is it expensive to stay in Balerma?
(*g*) How can you make a reservation or get more information?

2 (*a*) What type of tent does señora Fernández recommend?
(*b*) Why does she recommend these tents?
(*c*) How many people can they accommodate?
(*d*) What type of tent does she suggest for people who are going to stay in one place?
(*e*) How many bedrooms do they have?
(*f*) What else will you need apart from the tent?
(*g*) What suggestion does she make for those who are camping for the first time?

Reading comprehension

This unit includes four brief reading texts. The first one is about energy and gives some useful advice on how to save energy at home. The second passage discusses unemployment (*el paro*) in Spain, the third looks at the economic situation in Latin America, and the fourth one considers present day Mexico. Before you read each text, study the key words, then answer the questions which follow.

A Ahorre energía

ahorrar to save
resulta it is
sangría (*f*) drain
presupuesto familiar (*m*) family budget
factura de la luz (*f*) electricity bill
pasando por including
gasto (*m*) expense
calefacción (*f*) heating
gas butano (*m*) butane gas
ducharse to shower
a tope full up
ahorro (*m*) saving

La energía resulta una verdadera sangría para el presupuesto familiar. Desde la factura de la luz hasta la gasolina del coche, pasando por el gasto de calefacción o el gas butano para ducharse y cocinar. Las siguientes son algunas recomendaciones para el consumo de energía:

> Vigile el gasto de sus electrodomésticos y la iluminación eléctrica. Utilice su lavadora o su frigorífico a tope. Regule su calefacción o si es central haga que la regule el administrador. Bajar la temperatura de una habitación de 23 a 22 grados supone un ahorro automático del 3 por 100 del consumo. No supere los 20 grados.

AHORRE ENERGÍA EN CASA

	GASTO PTAS./HORA
Bombilla (100 W.)	0,40
Televisor (300 W.)	1,21
Frigorífico (300 W.)	1,21
Plancha (1.000 W.)	4,05
Termo (1.000 W.)	4,05
Lavadora (2.500 W.)	10,12
Lavavajillas (3.000 W.)	12,15
Cocina (5.000 W.)	20,25

(*Cambio 16*, Nº 425)

1 Translation

Translate the passage **Ahorre energía** into your own language.

B El paro

en mayor medida to a greater extent	**a pesar de ello** in spite of that
población activa (*f*) working population	**desempleo** (*m*) unemployment
perder to lose	**matriculados** registered
puesto de trabajo (*m*) job	**inicios** (*m pl*) beginning
parado unemployed	**falta** (*f*) lack
	oportunidades laborales (*f pl*) job opportunities

El paro ha afectado a España, según las estadísticas oficiales, en mayor medida que a otras naciones europeas.
En 1993, en pleno período de recesión económica, el paro se elevaba por sobre el 20 por ciento de la población activa, y afectaba a más de tres millones de personas.
Los primeros en perder sus puestos de trabajo fueron los jóvenes y las mujeres. En ese mismo año de 1993, el porcentaje de parados entre las edades de 16–19 años llegaba casi al 30 por ciento, afectando de manera casi similar a aquellos jóvenes que habían realizado estudios universitarios. A pesar de ello, y siguiendo la tendencia de otras naciones europeas afectadas por el desempleo, el número de alumnos matriculados en educación universitaria se había doblado con respecto a los inicios de la década de los 80. La falta de oportunidades laborales y la esperanza de encontrar un empleo a través de la formación profesional, eran las principales motivaciones.

1 Answer in English

(*a*) What percentage of people were without a job in Spain in 1993?
(*b*) What was the total number of unemployed?
(*c*) Who were the first ones to lose their jobs?
(*d*) What was the unemployment rate amongst 16–19 year-olds in 1993?
(*e*) What effect did youth unemployment have on the number of people entering university?

C Libre mercado y desigualdad social

lo sucedido what had happened
ajuste (*m*) adjustment
gasto público (*m*) public expense
medidas (*fpl*) measures
política de libre mercado (*f*) free-market policy
lograr to achieve
conseguir to manage
crecimiento (*m*) growth
inversión extranjera (*f*) foreign investment
surgir to emerge
sus congéneres their kind
empresarial (*adj*) business
poder (*m*) power

Al igual que lo sucedido en muchas naciones industrializadas, entre ellas Gran Bretaña y España, la mayor parte de los países latinoamericanos ha vivido, desde la década de los ochenta, un acelerado proceso de ajuste económico basado fundamentalmente en la aplicación de políticas de libre mercado. Los gobiernos de la región iniciaron un vasto programa de privatizaciones y de reducción del gasto público.

El 50 por ciento de los latinoamericanos tiene apenas el mínimo necesario para vivir

La aplicación de estas medidas logró sus objetivos, pero tuvo un alto costo social. Países como Chile, México, la Argentina, consiguieron reducir la inflación y aumentar el crecimiento económico. La inversión extranjera creció considerablemente. Surgió en estos países una nueva clase empresarial, con gran poder económico, y con un nivel de vida similar o incluso superior al de sus congéneres en los países industrializados. Pero el número de pobres en América Latina aumentó. Hoy en día casi el cincuenta por ciento de los latinoamericanos tiene apenas el mínimo necesario para vivir.

D México, progreso e inestabilidad

hecho (*m*) event
entrar en vigencia to come into force
Tratado de Libre Comercio (TLC) North American Free Trade Agreement (NAFTA)
estado (*m*) estate
pobre poor
enfrentamiento (*m*) clash
ejército (*m*) army
autodenominarse to call oneself
manifestación (*f*) demonstration
estupor (*m*) astonishment
se vio afectado was affected
nivel (*m*) level
inversionista (*m/f*) investor
desconfiar to mistrust

En México, en 1994, se producían dos hechos singulares.
Por una parte, entraba en vigencia el Tratado de Libre Comercio (TLC) con Estados Unidos y Canadá, que convertía a esta asociación en el bloque comercial más grande del mundo.
Por otro lado, en Chiapas, uno de los estados más pobres de México, se iniciaba una rebelión armada que tendría gran repercusión internacional. Los enfrentamientos entre el ejército mexicano, que trataba de controlar la rebelión y la guerrilla, que se autodenominaba *Ejército Zapatista de Liberación Nacional (EZLN)*, causó cientos de víctimas.
Pocos meses después de iniciada la rebelión, otro hecho afectó la ya tradicional estabilidad política mexicana. Luis Donaldo Colosio, candidato a la presidencia de la república por el Partido Revolucionario Institucional (PRI) fue asesinado durante una manifestación política. Su asesinato causó gran conmoción entre los mexicanos.
Al estupor ocasionado por la violencia política se sumó más tarde otro hecho, esta vez de carácter económico. En 1995, México se vio afectado por una grave crisis económica, que tuvo serias repercusiones tanto a nivel regional, para el resto de América Latina, como a nivel internacional. Los inversionistas extranjeros nuevamente desconfiaban de América Latina.

1 Summary

You have been asked to write a report in English on the Latin American economy, and on Mexican affairs in particular. Summarise the main ideas in the last two passages and use them as part of the introduction to your report.

Summary

A Expressing hope

Espero que se mejore pronto.	*I hope you get better soon.*
Espero que no sea nada grave.	*I hope it's nothing serious.*

B Expressing possibility

Es posible que sea un principio de insolación.	*It could be the start of sunstroke.*
Es probable que los mariscos hayan estado en malas condiciones.	*It's probable that the shellfish were off.*

C Giving advice

Trate de reposar lo más que pueda.	*Try to rest as much as you can.*
Es mejor que no salga.	*It's better not to go out.*

D Making suggestions and recommendations

Le sugiero que lo vea.	*I suggest that you see him.*
Le sugiero que lo haga lo antes posible.	*I suggest that you do it as soon as possible.*
Le puedo recomendar uno que tenemos en la Calle Gerona.	*I can recommend one that we have in Gerona Street.*

E Specifying requirements

Es imprescindible que sea céntrico.	*It absolutely must be in the centre.*
Es necesario que esté cerca de la playa.	*It really should be near the beach.*

Grammar

1 The present subjunctive

-ar verbs	**-er** verbs	**-ir** verbs
tomar	**beber**	**vivir**
tom**e** tom**es** tom**e** tom**emos** tom**éis** tom**en**	beb**a** beb**as** beb**a** beb**amos** beb**áis** beb**an**	viv**a** viv**as** viv**a** viv**amos** viv**áis** viv**an**

Irregular forms of the subjunctive are the same as those for the command forms (see Unit 8, page 97) as they are based on the first person singular:

conocer:	**conozca***	**ir:**	**vaya**	**ser:**	**sea**
dar:	**dé**	**oír:**	**oiga**	**tener:**	**tenga**
estar:	**esté**	**poner:**	**ponga**	**venir:**	**venga**
hacer:	**haga**	**saber:**	**sepa**	**volver:**	**vuelva**

*See Unit 2, page 21.

2 Some uses of the present subjunctive in subordinate clauses

(*a*) After an expression of doubt

No creo que sea necesario.	*I don't think it's necessary.*
Dudo que pueda ser verdad.	*I don't think it can be true.*

But note that for a positive statement the indicative form is used:

Creo que sí **es** necesario. *I do think it's necessary.*

(*b*) After verbs which express hope and wish

Espero que usted **se mejore** pronto. *I hope you're better soon.*

Quiero que ellos **vengan** mañana. *I want them to come tomorrow.*

(*c*) After verbs which express suggestion, recommendation, advice

Le sugiero que lo **vea**. *I suggest that you see him/it.*

Te recomiendo que lo **hagas**. *I recommend that you do it.*

Les aconsejo que compren este apartamento. *I advise you to buy this apartment.*

(*d*) After most impersonal expressions of this type:

es posible que	*it's possible that*
es mejor que	*it's better that*
es conveniente que	*it's advisable that*
es imprescindible que	*it's essential that*

Es mejor que no **salga**. *It's better for you not to go out.*

Es conveniente que consulte un médico. *It's advisable for you to see a doctor.*

Es imprescindible que sea céntrico. *A central location is essential.*

Es posible que sea un principio de insolación. *It's possible that sunstroke is setting in.*

3 The present subjunctive is used after certain conjunctions introducing future or hypothetical actions, for example:

cuando	*when*
en caso de que	*in case*
hasta que (no)	*until*

Cuando usted **quiera**. *Whenever you please.*

En caso de que siga sintiéndose mal, llámeme. *In case you keep on feeling ill, call me.*

Es mejor que no salga **hasta que** no **se sienta** mejor. *It's best not to go out till you feel better.*

Notice the use of **no** which has the value of *until such time as*.

See also Unit 10, page 134 for further uses of the subjunctive.

4 Familiar commands (positive)

	Infinitive	Tú	Vosotros
(-**ar**)	tom**ar**	tom**a**	tom**ad**
(-**er**)	beb**er**	beb**e**	beb**ed**
(-**ir**)	sub**ir**	sub**e**	sub**id**

Toma líquidos calientes. *Take hot fluids.*

Bebe agua tibia con miel y limón. *Drink lukewarm water with honey and lemon.*

5 Familiar commands (negative)

These are based on the subjunctive forms preceded by **no**:

	Infinitive	Tú	Vosotros
(-**ar**)	tom**ar**	no tom**es**	no tom**éis**
(-**er**)	beb**er**	no beb**as**	no beb**áis**
(-**ir**)	sub**ir**	no sub**as**	no sub**áis**

Comenta tus fechas de vacaciones con tu familia. *Talk about your holiday dates with your family.*

No comentes tus fechas de vacaciones en el supermercado. *Don't talk about your holiday dates in the supermarket.*

6 Irregular affirmative tú commands

decir:	**di**	**ponerse:**	**ponte**
hacer:	**haz**	**ser:**	**sé**
irse:	**vete**	**salir:**	**sal**
oír:	**oye**	**tener:**	**ten**
poner:	**pon**	**venir:**	**ven**

Dime qué pasa. *Tell me what's happening.*
Sal de aquí. *Get out of here.*
Ponte la chaqueta. *Put your jacket on.*
Ven pronto. *Come soon.*

Unidad 10

Quiero que me envíe información

What you will learn in this unit

- To make requests
- To make offers
- To express satisfaction
- To express regret
- To express uncertainty

A Making offers and requests

Dialogue 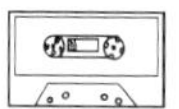

Karen Parker is an English speaker. She has asked a Spanish friend in Valencia to telephone a school of languages and ask for information about Spanish for foreigners. This is a conversation betwcen Felipe, her friend, and the school secretary.

Secretaria	Escuela de Idiomas. ¿Dígame?
Felipe	Buenos días. Mire, una amiga mía está interesada en estudiar español y quiero que me envíe información sobre los cursos de verano.
Secretaria	¿Qué nivel le interesa?
Felipe	El nivel intermedio.
Secretaria	De acuerdo. ¿Quiere que le mande información sobre alojamiento tambien?
Felipe	Sí, por favor.

El Miguelete, Torre Gótica, La Catedral de Valencia

Secretaria Pues bien, esta misma tarde le enviaré un folleto informativo y una solicitud de inscripción. ¿A qué nombre se la envío?

Felipe A nombre de Felipe Zamora.

Secretaria ¿Y a qué dirección?

Felipe Calle Obispo 48, de Valencia.

Secretaria De acuerdo.

Felipe Adiós. Gracias.

Now study this information sent to Felipe by the school of languages.

CURSO DE VERANO PARA EXTRANJEROS

CURSO DE LENGUA Y CULTURA ESPAÑOLAS

1.a) **CURSO DE INICIACION**

—Para alumnos principiantes que no han alcanzado un dominio elemental de la lengua española.

- **Grupos de 25 alumnos como máximo.**

1. De 9,15 a 11: Clases teórico—prácticas de LENGUA ESPAÑOLA.
2. De 11 a 12: Clases de conversación o práctica en el laboratorio de idiomas.

1.b) **CURSO MEDIO**

—Para alumnos ya iniciados que posean un conocimiento básico del español.

- **Grupos de 25 alumnos como máximo.**

1. De 9,15 a 11: Clases teórico-prácticas de LENGUA ESPAÑOLA.
2. De 11 a 12: Introducción a la CULTURA ESPAÑOLA (Temas fundamentales de **Literatura, Historia, Arte y Geografía de España).**

1.c) **CURSO SUPERIOR**

—Para estudiantes universitarios de Filología Hispánica o Románica (o equivalente) que ya posean conocimientos avanzados del español y pretendan perfeccionarlos a través del estudio científico del idioma.

1. De 9,15 a 11: LENGUA ESPAÑOLA (Gramática, Ampliación del léxico. Niveles socio-lingüísticos. Comentario de textos).
2. De 11 a 12: Cursos monográficos de conferencias sobre:

Literatura española:	10 horas
Historia de España:	5 horas
Arte español:	5 horas

Practice

1 Get together with another student and make up a similar conversation based on the dialogue on pages 120 and 121.

Useful words and phrases

nivel elemental (*m*) beginners' level
nivel medio (*m*) intermediate level
nivel avanzado (*m*) advanced level
curso intensivo (*m*) intensive course
curso para adultos (*m*) course for adults
curso de español comercial (*m*) commercial Spanish course
curso de traducción (*m*) translation course
curso de interpretación (*m*) interpreting course

2 Letter-writing

Read this letter:

Chicago, 25 de mayo de 19...

Señor Director
Escuela de Idiomas Modernos
Avda. Benito Juárez, 452
Veracruz, México

Muy señor mío:

Le ruego que me envíe una solicitud de inscripción para los cursos de español para extranjeros. Además, le agradeceré que me incluya información detallada sobre las fechas, duración, valor de dichos cursos y los requisitos necesarios para ser aceptado.

Le saluda atentamente

Peter Brown

Peter Brown
251 Madison Ave.
Apt. 20
Chicago, Ill.

Write a similar letter asking for information about the course on page 121. Specify the level in which you are interested.

3 Letter-writing

You have received the following information from a school of languages in Spain. Write a letter of application specifying the level in which you are interested.

CURSO ABREVIADO

Se dará especialmente en dos niveles: Elemental y Medio, y los alumnos que en él se inscriban podrán adquirir conocimientos básicos sobre Lengua y Cultura españolas. También se admiten alumnos de Nivel Superior.

PRINCIPIANTES Y
NIVEL
ELEMENTAL

Tres horas diarias, de 9 a 12 de la mañana, de Clases prácticas de Lengua española: Conversación y Vocabulario, Pronunciación y Lectura comentada de textos. Dos horas diarias, salvo los sábados, de tertulias o reuniones dirigidas por un profesor, en grupos reducidos de alumnos, para estimular la conversación.

NIVELES
MEDIO Y SUPERIOR

Dos horas diarias de Clases prácticas de Lengua española, de 9 a 11, y una lección, también diaria, de 11 a 12, sobre **Gramática** del español moderno y **Literatura contemporánea.** Por las tardes, salvo los sábados, de 4 a 6, lecciones sobre **Arte** e **Historia.**

Plazo de Inscripción: hasta el 2 de septiembre.

UNIVERSIDAD INTERNACIONAL
MENENDEZ PELAYO
Santander

4 Reading

A colleague of yours who is interested in learning Spanish has received the following information from a school of languages in Spain. Read this information and answer his questions.

CURSO INTENSIVO

7 JULIO – 2 AGOSTO (CUATRO SEMANAS)

PRINCIPIANTES Y NIVEL ELEMENTAL

Tres horas diarias de clases prácticas, de 9 a 12 de la mañana, dedicadas a Fonética, Conversación, prácticas de vocabulario y Lectura comentada de textos. Dos horas diarias por la tarde, de 5 a 7, salvo los sábados, de tertulias o reuniones dirigidas por profesores, destinadas a estimular la conversación de los alumnos. Tanto las clases como las tertulias se ordenarán en grupos reducidos de estudiantes.

INSCRIPCION

Se hace rellenando el BOLETIN DE INSCRIPCION que la Escuela envía a los que lo soliciten. Esta inscripción se hace a título individual y el boletín debe estar firmado por el alumno.

ALOJAMIENTO

La Escuela dispone de alojamiento en sus Residencias en número limitado, a disposición de los alumnos y del profesorado. La concesión de plazas se hace por riguroso orden de petición y en el entendimiento de que los residentes deben asistir regularmente a las clases anunciadas. Es aconsejable solicitar la reserva dos meses, por lo menos, antes del comienzo de cada Curso. El alojamiento (en habitaciones individuales o dobles) incluye la pensión completa (tres comidas).
Para la reserva de alojamiento debe enviarse, en concepto de anticipo, la cantidad de dieciséis mil pesetas.
La reserva de alojamiento caduca al tercer día del comienzo del Curso, salvo que se notifique la fecha de llegada. El dinero de la reserva no es reintegrable.

Answer in English

(*a*) How many classes a day are there?
(*b*) Are the classes in the morning only?
(*c*) What time do the classes start and finish?
(*d*) Are there any classes on Saturday?
(*e*) Are the groups very large?

(*f*) How can I register?
(*g*) Can I get accommodation through the school?
(*h*) Is it in private homes with families?
(*i*) Is it necessary to make a reservation in advance?
(*j*) Are there any single rooms?
(*k*) Is food included?
(*l*) Do I have to pay a deposit?
(*m*) Will the school give me a refund if I cancel my booking?

5 You have received the following application form from a school of languages in Spain. Fill it in with the information requested.

BOLETIN DE INSCRIPCION

1. Apellidos (en mayúsculas)

2. Nombre
Prénom
First name
Vorname

Hombre o mujer | Edad | N.º de pasaporte

Dos fotografías tamaño carnet

3. Dirección habitual

4. Ciudad | País | 5. Nacionalidad

6. Solicita inscripción en el curso de:
☐ JULIO 4 al 30
☐ GENERAL 1 al 27
☐ FILOLOGIA HISPANICA 1 al 27
☐ SETIEMBRE 17-29

con el fin de (señale los motivos de inscripción en el curso elegido)

7. Estudio y grado del alumno

☐ Conocimientos del español
☐ ninguno
☐ elementales
☐ medios

8. Envía el importe de la inscripción:
☐ por transferencia del Banco ....
☐ por giro internacional desde ....

A Universidad Internacional Menéndez Pelayo
☐
Banco Cantábrico (Grupo B.E.E.) P.º de Pereda, n.º 6
Cta. n.º 100 - SANTANDER

9. Desea plaza en la residencia de la Universidad:
☐ Habitación individual ☐ Habitación doble
y envía quince mil pesetas para la reserva.

10. Desea plaza en el autobús universitario desde Irún a Santander para el día:
☐ 3 de julio
☐ 31 de julio
☐ 28 de agosto

Hora de salida: 9 a.m. (hora española).
Lugar: Plaza de las Estaciones, de Irún.
Peso máximo del equipaje, 40 kilogramos.

El precio de este viaje es de 3.000 ptas., abonándose por los viajeros al tomar el autobús. Quienes reserven plaza y no viajen en el autobús abonarán el importe al llegar a la Universidad.

Fecha ....

(Firma)

B Expressing satisfaction, regret and uncertainty

Dialogue 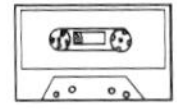

Paul Richards is having dinner with a Spanish colleague and his wife.

Sr. Richards La cena estaba buenísima.

Sra. Arata Me alegro de que le haya gustado. ¿Le sirvo un poco más de postre?

Sr. Richards No, no, muchas gracias.

Sra. Arata ¿Un café, entonces?

Sr. Richards Sí, eso sí, gracias.

Sra. Arata Y tú, Juan, ¿quieres un café?

Sr. Arata Sí, para mí también.

Sra. Arata Siento que tenga que irse tan pronto de España. Espero que haya disfrutado de su estancia en Madrid.

Sr. Richards Sí, y lo he pasado muy bien. He hecho excelentes amigos aquí.

Sr. Arata ¿Cuándo cree usted que volverá?

Sr. Richards No estoy seguro. No creo que vuelva hasta el próximo año. Es muy probable que la compañía me envíe algunos meses a Caracas.

Sra. Arata ¡Qué interesante! Que le vaya muy bien en Sudamérica.

Sr. Arata Y cuando esté en España no se olvide de llamarnos.

Sr. Richards Muchas gracias. Son ustedes muy amables.

Practice

1 While on a visit to Mexico you are invited to lunch by a Mexican acquaintance. Complete your side of the conversation:

Conocido ¿Le sirvo otro poco de picadillo?

Usted (*Yes, please. Say you like picadillo very much.*)

Conocido Me alegro de que le guste. Es mi plato favorito. ¿En su país no comen picadillo?

Usted (*No, say this is the first time you have tasted it. Mexican food is very different from food in your country. You don't eat chile at home.*)

Conocido Pues, yo conozco un restaurante típico mexicano que es estupendo. Sirven unas enchiladas deliciosas. ¿Qué le parece si vamos este sábado por la noche? Podemos ir en mi coche.

Usted (*Thank him and say you are very sorry but you are not sure whether you will be in Mexico City on Saturday night. You are trying to get a ticket to fly home on Friday.*)

Conocido ¡Qué lástima! Espero que tenga un buen viaje y ojalá podamos vernos y salir juntos cuando vuelva a México.

Usted (*Say you will telephone him when you return to Mexico next year, and you hope he can come to your country one day.*)

Vista del Zócalo, plaza principal de la Ciudad de México, y el Palacio de Gobierno

2 Get together with another student and make up a conversation based on this situation:

Student A: You have invited a Spanish-speaking acquaintance out for a meal. He is enjoying the food very much and you suggest going out to a traditional restaurant one night. Unfortunately he can't accept the invitation.

Student B: While abroad you are invited out to dinner by an acquaintance. You enjoy the food and the company very much. Your host suggests going out to a traditional restaurant one night. Unfortunately you can't accept as you have to travel on business to another part of the country. Say you will telephone when you come back in a month's time.

3 Letter-writing

You have just returned from a holiday in Mexico where you stayed with a Mexican family. Write a letter thanking them for their hospitality, tell them you enjoyed your stay very much and that you regret you weren't able to stay longer. Say you are not sure when you will be able to come back but that you hope they will come and spend a holiday with you.

Useful words and phrases

les agradezco mucho... I'm very grateful/thank you for ...
hospitalidad (*f*) hospitality
he disfrutado mucho de... I have enjoyed ... very much
estancia (*f*) stay
no estoy seguro de cuándo... I'm not sure when ...
Espero que puedan... I hope you will be able ...

4 Translation

Your company has received the following letter from Peru and you have been asked to translate it.

IMPORTADORA INCA

Jirón De La Unión — Lima — Perú

Lima, 19 de mayo de 19..

Harrison Ltd
Lancaster Place
LONDRES W1
INGLATERRA

Muy señores nuestros:

La presente tiene por objeto agradecer a ustedes el pronto envío de las mercancías solicitadas en nuestro pedido RN542136 de fecha 20 de abril. Al mismo tiempo deseamos expresarles nuestra satisfacción por la calidad de sus productos, los que están teniendo una excelente aceptación en el mercado local.

Lamentamos que no nos hayan podido enviar la cantidad solicitada, pero les agradeceremos que nos hagan llegar el resto del pedido tan pronto como les sea posible.

Les saluda muy atte.

Gonzalo Quilpe

Gerente

Listening comprehension 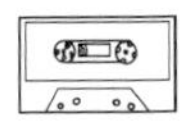

Listen to these conversations at a department store in Mexico City and answer the following questions in Spanish. Then get together with another student and make up a similar conversation.

1 (*a*) ¿Por qué quiere comprar un despertador la cliente?
(*b*) ¿Qué despertador le recomienda el empleado? ¿Por qué?
(*c*) ¿Cómo funciona?
(*d*) ¿Cuánto cuestan?

2 (*a*) ¿Cómo es la chaqueta que quiere ver el cliente?
(*b*) ¿Qué talla quiere?
(*c*) ¿Qué dice la empleada sobre la chaqueta?
(*d*) ¿Cómo le queda la chaqueta al cliente?
(*e*) ¿Cuánto cuesta?
(*f*) ¿Qué tipo de camisas compra el cliente?
(*g*) ¿Cuánto cuestan?
(*h*) ¿Cuántas lleva?

Reading comprehension

Industrial and population growth and the expansion of the cities are endangering our planet. Everywhere voices are raised in defence of the environment, *el medio ambiente.* In the summit celebrated in Rio, Brazil, in 1992, political leaders from all over the world got together for the first time to discuss and agree a basic code for the preservation of the environment. The first passage below looks at the relationship between business and the environment, while the second considers the implications of the destruction of the ozone layer. Study the key words before you read each text.

A Ecología a la mesa de negociación

marciano (*m*) Martian
pecado capital (*m*) deadly sin
recursos naturales (*m pl*) natural resources
cumbre (*f*) summit
mundial (*adj*) world
reglamento (*m*) code
desarrollo sustentable (*m*) sustainable development
ligado linked
sentido (*m*) sense
evitar to avoid
respetar to respect
naturaleza (*f*) nature
idear to devise
escollo (*m*) difficulty
involucrar to involve
inquietud (*f*) worry

valor (*m*) value
poder (*m*) power
representación ciudadana (*f*) constituency (people represented by a group or organisation)
un alto grado a high degree
incertidumbre (*f*) uncertainty
predecir to predict
una propuesta determinada (*f*) a certain proposal
ser presa de (**algo**) to be seized by (something)
insalvable unavoidable

Si hace cien años hablar del medio ambiente era casi de marcianos, hoy no ser ecologista es pecado capital. A la par con el crecimiento industrial y el desarrollo de los pueblos, se han devastado los recursos naturales.

Hoy no ser ecologista es pecado capital

La cumbre de Río, celebrada en junio de 1992, fue el primer intento mundial por reunir a un grupo de países para discutir y acordar un reglamento básico en defensa del medio ambiente. Una de las preocupaciones de los participantes fue el "desarrollo sustentable", un concepto muy ligado a la producción y el crecimiento. En ese mismo sentido, la Organización del Comercio Mundial estableció entre sus prioridades reglamentar la relación entre empresa y medio ambiente, como una manera de evitar los conflictos producidos por la interacción de ambos factores. No siempre un buen negocio respeta a la naturaleza.

Según algunos expertos, los problemas ambientales podrían ser en el futuro una importante fuente de conflicto internacional. Es por eso que idear sistemas que permitan resolver ágil y eficientemente los escollos en esta área es fundamental.

La tarea no es fácil. Los problemas relacionados con la ecología generalmente involucran a múltiples grupos, con sus inquietudes, valores, posiciones de poder y representación ciudadana. Además, tienen un alto grado de incertidumbre, ya que predecir el impacto que puede provocar una propuesta determinada a menudo es difícil o imposible. También, todo lo relacionado con la ecología es presa fácil de las emociones, porque el problema se vende como un acto de destrucción total o catástrofe insalvable.

(From 'Ecología a la mesa de negociación', by María Soledad Ramírez, *Diario El Mercurio*, Chile)

Answer in English

1 Explain the meaning of these phrases in the context in which they have been used in the passage **Ecología a la mesa de negociación,** and give examples to illustrate their meaning.

(*a*) Hace cien años hablar del medio ambiente era casi de marcianos.

(*b*) Hoy no ser ecologista es pecado capital.
(*c*) No siempre un buen negocio respeta a la naturaleza.
(*d*) Los problemas relacionados con la ecología generalmente involucran a múltiples grupos y tienen un alto grado de incertidumbre.
(*e*) Todo lo relacionado con la ecología es presa fácil de las emociones.

2 What words and phrases have been used in the text of **Ecología a la mesa de negociación** to express the following?

(*a*) on a par with
(*b*) industrial growth
(*c*) as a way of
(*d*) according to
(*e*) in the future
(*f*) a source of
(*g*) the task is not easy
(*h*) as, since

B El agujero de ozono, más grande

agujero (*m*) hole
capa de ozono (*f*) ozone layer
capa protectora (*f*) protective layer
agotamiento (*m*) exhaustion
impedir to prevent
superficie (*f*) surface
compuesto (*m*) compound
destruir to destroy
espuma (*f*) foam rubber
disolvente (*m*) solvent
limpiador (*m*) cleaning product
fabricante (*m*) manufacturer
han dejado de utilizarlos they have stopped using them
patrones de lluvia (*m pl*) rainfall patterns
cambiarían they would change
cosecha (*f*) harvest
hueco (*m*) hole
ha ido agrandándose it has been growing
paulatinamente gradually
dañar to damage
cáncer en la piel (*m*) skin cancer

El desarrollo anual del agujero en la capa de ozono sobre la Antártida ha comenzado este año una semana antes de lo usual, informaron ayer científicos que vigilan el agotamiento de la capa protectora en la atmósfera de la Tierra.
La capa de ozono impide que las radiaciones ultravioletas del sol, que producen cáncer, lleguen a la superficie del planeta. Sin embargo, los compuestos usados en los productos químicos industriales como los clorofluorocarbonos (CFCs) destruyen el ozono, y permiten que pase a la Tierra una mayor cantidad de radiaciones ultravioleta.
Los clorofluorocarbonos son utilizados como refrigerantes en aparatos de aire acondicionado y también para fabricar espumas plásticas y disolventes para

limpiadores. También se utilizaba en los aerosoles, pero en los últimos años los fabricantes han dejado de utilizarlos.
El ozono también influye sobre la temperatura de las capas superiores de la atmósfera. Sin el ozono, los patrones de lluvia cambiarían drásticamente junto a otros aspectos esenciales del clima terrestre, lo que afectaría a las cosechas agrícolas y a la vida acuática.
Los científicos informaron por primera vez acerca de la formación del agujero en la capa de ozono sobre la Antártida en 1985. El hueco ha ido agrandándose paulatinamente. Los científicos opinan que el agujero en el ozono sobre la Antártida, que aparece por esta época del año, es una clara evidencia de que la contaminación causada por el hombre está dañando la atmósfera. Si esta tendencia continúa, se puede prever una alta incidencia de los casos de cáncer en la piel, daños en las cosechas y en las aguas.

(From 'El agujero de ozono, más grande', *Diario Ya*, Madrid)

1 Answer in English

(*a*) What does the ozone layer prevent?
(*b*) What effect do compounds such as chlorofluorocarbons (CFCs) have on the ozone layer?
(*c*) Where are these compounds used?
(*d*) What effect would the destruction of the ozone layer have on the weather?
(*e*) When did the world first hear about the hole in the ozone layer?
(*f*) What can happen if the hole in the ozone layer continues to enlarge?

2 Translation

You have been asked to translate the passage on the destruction of the ozone layer into your own language for inclusion in a publication dealing with the environment. Do so with the help of the glossary above and your own dictionary.

Summary

A Making requests

Quiero que me envíe información sobre los cursos de verano. *I want you to send me information on summer courses.*

Le agradeceré que me incluya información sobre el valor de los cursos. *I shall be grateful if you will include information about the cost of the courses.*

B Making offers

¿Quiere que le mande información sobre alojamiento? *Would you like me to send you information on places to stay?*

C Expressing satisfaction

Me alegro de que le guste. — *I'm glad you like it.*

Me alegro de que le haya gustado. — *I'm glad you liked it.*

D Expressing regret

Siento que tenga que irse tan pronto. — *I'm sorry you have to go so soon.*

¡Qué lástima! — *What a pity!*

E Expressing uncertainty

No estoy seguro. — *I'm not sure.*

No creo que vuelva hasta el próximo año. — *I don't think he'll be back until next year.*

Grammar

1 The present perfect subjunctive

present subjunctive of **haber** + past participle

	(**-ar** verbs)	(**-er** verbs)	(**-ir** verbs)
haya	tom**ado**	beb**ido**	viv**ido**
hayas	tom**ado**	beb**ido**	viv**ido**
haya	tom**ado**	beb**ido**	viv**ido**
hayamos	tom**ado**	beb**ido**	viv**ido**
hayáis	tom**ado**	beb**ido**	viv**ido**
hayan	tom**ado**	beb**ido**	viv**ido**

This is used after verbs in the present tense when referring to the recent past and expressing doubts, hopes and wishes. It is also used for making recommendations and suggesting or giving advice. (See Unit 9, pages 117 and 118 and section 2 below for more on when to use it. Unit 12, page 164 covers the pluperfect subjunctive.)

Espero que **haya disfrutado** de su estancia en Madrid. — *I hope you've enjoyed your stay in Madrid.*

Me alegro de que ella **haya aprobado** el examen. — *I am pleased she's passed the exam.*

2 Other uses of the subjunctive

(*a*) After verbs which express emotion

Me alegro de que le **guste**. *I'm pleased you like it.*

Me alegro de que le **haya gustado**. *I am pleased you've enjoyed it.*

Siento que tenga que irse tan pronto. *I'm sorry you have to go so soon.*

Lamentamos que no nos **hayan podido** enviar la cantidad solicitada. *We regret that you have been unable to send the quantity requested.*

(*b*) After verbs which express offer and request

¿**Quiere que** le **mande** información sobre alojamiento? *Do you want me to send you information on places to stay?*

Quiero que me **envíe** información sobre los cursos de verano. *I want you to send me information on the summer courses.*

Le ruego que me **envíe** una solicitud de inscripción. *I would like you to send me an enrolment form.*

Le agradeceré que me **incluya** información sobre las fechas. *I would be grateful if you would include information about the dates.*

(*c*) In an indirect command or wish in which the main clause has been omitted

Que pase. (Dígale **que pase**). *Let him come in. (Tell him to come in.)*

Que le vaya bien en Sudamérica. (Espero **que le vaya** bien en Sudamérica.)
May it go well for you in South America. (I hope it goes well for you in South America.)

(*d*) After the word **ojalá** to express a wish or hope

Ojalá (que) podamos vernos. *I do hope we can meet up.*

Ojalá (que) vuelva pronto Ricardo. *I hope Ricardo comes back soon.*

3 Use of the present tense indicative to make an offer

Notice the use of the present tense in Spanish, equivalent to the English *would you?*

¿**Le sirvo** otro poco más? *Would you like a bit more?*

¿**Le envío** más información? *Shall I send you more information?*

¿**Te paso** a buscar en mi coche? *Shall I come for you in my car?*

Unidad 11

¿Cuánto me costaría?

What you will learn in this unit

- To discuss hypothetical situations
- To ask for information about insurance
- To arrange to hire a car

Discussing hypothetical situations

Reading

Los horarios en la vida española

La mayoría de los españoles se va al trabajo sobre las ocho

La mayor parte de los españoles se pone en camino para el trabajo muy poco después de las ocho. Interrumpe su actividad laboral durante tres horas y vuelve a la oficina, la tienda o la fábrica, para no regresar a casa hasta las siete o las ocho. En las grandes ciudades, cinco días de la semana son cinco días llenos de trabajo y nada más que trabajo.
Desde hace algún tiempo muchas empresas han venido racionalizando sus horarios e implantando una jornada intensiva. Sin embargo, fuera de las grandes ciudades, persiste la vieja costumbre de interrumpir las labores al mediodía. En la entrevista que sigue, una periodista española habla con un industrial sobre la idea de racionalización de los horarios a través de la implantación de la jornada intensiva.

(*Cambio 16*, Nº 407, adapted)

Interview 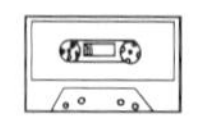

Periodista ¿Cree usted que el país se beneficiaría si se obligara al comercio y a las empresas a implantar la jornada intensiva de trabajo?

Industrial Yo creo que si España racionalizara sus horarios – y racionalizar sería concentrar las horas de trabajo – el país cambiaría radicalmente.

Periodista ¿En qué forma se manifestarían estos cambios?

Industrial Primeramente, en que los momentos de máximo tránsito se reducirían a dos, lo que facilitaría la circulación del transporte público y de otros vehículos al mediodía.

Periodista ¿De qué manera influiría esta transformación en las actitudes del trabajador?

Industrial Si se terminara este constante ir y venir entre la oficina y el hogar, el individuo rendiría más y lograría mayor satisfacción de su trabajo. Además, tendría tiempo para reflexionar y planificar mejor sus horas de ocio. A mi juicio, una modificación de horarios sería, a la larga, revolucionaria y la vida cotidiana cambiaría enteramente.

Practice

1 Answer in Spanish

(*a*) ¿A qué hora sale para el trabajo la mayoría de los españoles?
(*b*) ¿Durante cuántas horas interrumpen su trabajo al mediodía?
(*c*) ¿Qué han venido haciendo algunas empresas?
(*d*) ¿Qué ha sucedido fuera de las grandes ciudades?
(*e*) Según el industrial, ¿qué pasaría si España racionalizara sus horarios?
(*f*) ¿Qué cambios habría?
(*g*) ¿Cambiarían las actitudes de los trabajadores? ¿En qué forma?
(*h*) ¿De qué manera beneficiaría al individuo el tener más tiempo libre?
(*i*) ¿Qué opinión le merece al industrial este tipo de modificación?

2 Writing

In most of Latin America, as in Spain, people interrupt their work at mid-day for three or more hours (*jornada partida*). If you had to choose between this system or working continuous hours (*jornada intensiva*), which would you choose? Why? What advantages and disadvantages do you see for the employer or the employee? Write about 100 words expressing your ideas.

Useful words and phrases

Si yo tuviera (tuviese) que eligir... If I had to choose ...	**empleado** (*m*) employee
elegiría I would choose	**obrero** (*m*) worker
patrón (*m*) employer, boss, owner	**tiene la ventaja/desventaja** it has the advantage/disadvantage
empresario (*m*) manager, executive	**sería mejor si...** it would be better if...

3 Reading

A group of executives from major European firms were asked to say which country they would choose if they had to make an investment within the next two or three years.

Read this analysis of their answers and then answer the questions which follow.

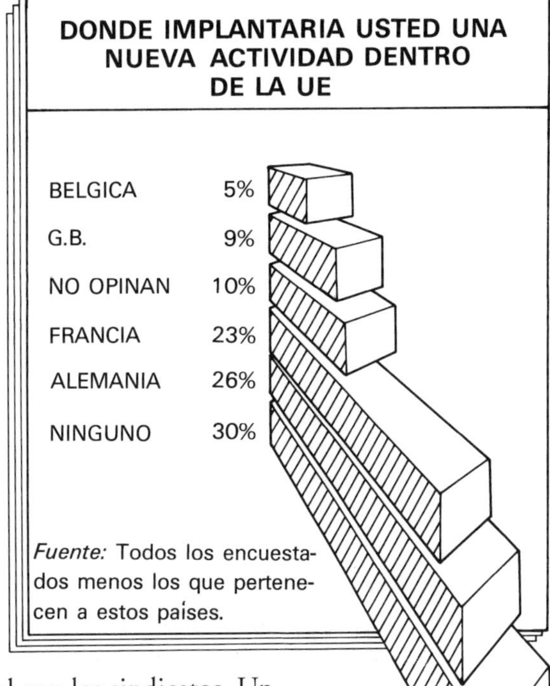

Alemania y Francia fueron los países preferidos por los inversores potenciales. En tercer lugar viene Gran Bretaña, pero muy por detrás de los anteriores. Y los demás países de la UE sólo fueron elegidos por menos de un 5 por ciento de los encuestados. Pero las razones de esta elección no son estrictamente financieras: la estabilidad política y económica son los factores más tenidos en cuenta por los empresarios. Alemania ofrece toda clase de garantías en este sentido, como resaltó un entrevistado: "Una producción muy buena, buenas relaciones de la patronal con los sindicatos. Un mercado potencial muy sólido. La sociedad es bastante liberal y la situación política es tan estable como puede desearse en estos tiempos." Francia tiene el gran atractivo de su mercado potencial; su gran capacidad de producción y consumo ha sido también un rasgo determinante. Los demás países atraen mucho menos a los inversores, y cuando lo hacen es por razones específicas de cada empresario. En el caso de Gran Bretaña, la elección se basa en el mercado potencial y los bajos salarios.

(*Actualidad Económica*, Nº 1.151)

Answer in Spanish

(*a*) ¿En qué país de la UE (Unión Europea) invertiría la mayoría de los empresarios?
(*b*) ¿Qué porcentaje invertiría en Alemania?
(*c*) ¿Qué porcentaje invertiría en Francia?
(*d*) ¿Qué porcentaje invertiría en Gran Bretaña?
(*e*) ¿Qué factores tendrían en cuenta los empresarios si tuviesen que hacer una inversión?
(*f*) ¿Qué garantías específicas ofrecería Alemania a los inversores?
(*g*) ¿Por qué invertirían en Francia?
(*h*) ¿Qué ventajas tendría para el empresario el invertir en Gran Bretaña?

Now give your own opinion.

¿En qué país invertiría usted si tuviese el capital necesario para hacer una inversión importante? ¿Por qué invertiría en ese país?

4 At sight translation

The possibility of building a tunnel across the Strait of Gibraltar which would link Spain and Morocco has for long been in the minds of the authorities on both sides of the Strait. Many discussions have taken place but nothing concrete has yet been done. The following article from a Spanish magazine deals with this subject. Translate it at sight.

UN TUNEL FERROVIARIO

En la actualidad, la única fórmula viable desde el punto de vista técnico para comunicar España y Marruecos es el túnel ferroviario subterráneo. Bajo las aguas del Estrecho sólo podrían moverse los trenes. Los problemas de ventilación están sin resolver e impedirían el tráfico de automóviles.

El túnel tendría 47 kilómetros de largo y seguiría el trayecto de menores profundidades entre las dos orillas (Punta Paloma en España y Punta Altares en Marruecos). Sólo 29 kilómetros estarían bajo el mar. Este túnel ferroviario permitiría conectar las redes de ferrocarriles de los dos países.

(*Actualidad Económica,* Nº 1.230)

5 1500 people across Spain were asked their opinions about different aspects of their lives, such as work, spare time, family, etc. Look at these results and then answer the questions which follow.

Answer in Spanish

	Tener un trabajo para toda la vida, pero con poco sueldo	Tener un trabajo con buen sueldo, pero que se pudiera quedar sin él	N/S
EDAD			
18-24	55	40	5
25-34	59	32	9
35-54	70	19	11
55-64	74	14	13
65 y más	76	10	14
CLASE SOCIAL			
Media alta	65	29	6
Media media	65	27	8
Media baja	69	18	13
Trabajadora	70	17	12
ESTRATO DE POBLACION			
Menos de 5.000	73	15	12
5.000-30.000	68	21	11
30.000-200.000	69	21	10
Más de 200.000	57	26	16
Barcelona	53	43	3
Madrid	71	23	6
SEXO			
Hombre	65	26	9
Mujer	71	18	12
TOTAL	66	22	10

(*Cambio 16*, Nº316)

A (*a*) ¿Qué es más importante para la mayoría de las personas, tener un trabajo para toda la vida pero con poco sueldo o tener un trabajo con buen sueldo, pero que se pudiera quedar sin él?

(*b*) En cuanto a edad, ¿para qué grupo es más importante tener un trabajo para toda la vida?

(*c*) ¿Para qué grupo es menos importante?

(*d*) ¿Para qué clase social es más importante la seguridad en el trabajo?

(*e*) ¿En qué ciudad de España es menos importante este factor?

(*f*) ¿Para quiénes tiene más importancia la seguridad en el trabajo? ¿Para los hombres o para las mujeres?

Now give your own opinion.

Si usted tuviera que elegir entre tener un trabajo para toda la vida pero con poco sueldo o tener un trabajo con buen sueldo, pero que se pudiera quedar sin él, ¿qué opción eligiría? ¿Por qué?

B ¿Qué opción escogería la mayoría de las personas: Les gustaría tener más tiempo libre ganando menos dinero o preferirían ganar más dinero, teniendo menos tiempo libre?

SI USTED TUVIERA QUE ELEGIR, ¿CUAL DE ESTAS DOS OPCIONES ESCOGERIA?

Le gustaría tener más tiempo libre ganando menos dinero . . . . **.41**

Ganar más dinero teniendo menos tiempo libre. . . . . **.42**

N/S . . . . **.17**

Now give us your opinion.

Si usted tuviera que elegir entre las dos opciones, ¿cuál elegiría? ¿Por qué?

6 Si se cumplieran los horarios…

Here is a letter to a Spanish newspaper written by someone who complains about the services provided by Renfe (*Red Nacional de Ferrocarriles Españoles*), the Spanish railways. What is the reader's complaint? Read the letter with the help of the glossary below, then do the exercise which follows.

Useful words and phrases

desplazarse to travel
a diario everyday
echar de menos to miss
limpieza (*f*) cleanliness
usuario (*m*) user
fallar to fail
cumplir un horario to adhere to a timetable
sujetas a subject to
compromiso (*m*) obligation, commitment
horario laboral (*m*) working hours
retraso (*m*) delay
desconocido unknown
fallo (*m*) failure
imprevistas unforeseen
previsto planned
descongestionar to clear (traffic)
autopista (*f*) motorway

La poca puntualidad de Renfe

Me desplazo a diario de Molins de Rei a Barcelona y casi siempre utilizo el tren, la Renfe. El servicio no es bueno; se echa de menos mejor limpieza, mejor material y más comodidades y atenciones para los usuarios. Pero el aspecto más importante, que también falla, es la puntualidad.

Los trenes, frecuentemente, no cumplen el horario anunciado, por lo que muchas personas sujetas a compromisos o a un horario laboral no pueden utilizarlos.

Los motivos de los retrasos muchas veces son desconocidos por los viajeros; en alguna ocasión se trata de fallos técnicos y muy a menudo se producen porque los trenes hacen paradas imprevistas entre estación y estación.

Si se cumplieran los horarios previstos, como ocurre en el resto de Europa, el tren sería mucho más utilizado, con lo que se descongestionarían carreteras, autopistas y calles de Barcelona.

Pere Madorell i Muntané, Molins de Rei

(*Diario La Vanguardia*, Barcelona)

¿Verdadero o falso? (True or false?)

(*a*) El lector viaja a Barcelona todos los días.
(*b*) El lector prefiere no viajar en tren.
(*c*) Los trenes están siempre muy limpios.
(*d*) El lector dice que los trenes de Renfe son puntuales.
(*e*) Los viajeros generalmente no saben por qué se producen los retrasos.
(*f*) Según el lector, en el resto de Europa tampoco se cumplen los horarios previstos.

7 Dialogue 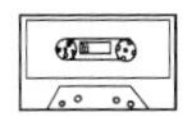

A customer goes into Turismo Iberia and asks for information about travel insurance.

Clienta Buenas tardes. ¿Podría decirme cuánto me costaría un seguro de viaje de treinta días?

Empleado Eso depende del tipo de seguro que usted quiera y del país donde vaya a viajar.

Clienta Bueno, yo voy a Sudamérica en viaje de negocios y preferiría un seguro que cubriese pérdida de equipaje, accidentes y anulación de viaje.

Empleado Pues, en ese caso creo que le convendría sacar un seguro combinado que le saldría por cuatro mil pesetas. Aquí tiene un folleto informativo. Si le interesa rellene usted la solicitud que hay al reverso, me la trae con el dinero o un cheque y yo le daré la póliza.

Clienta Muchas gracias.

Empleado A usted.

Answer in Spanish

(*a*) ¿De qué depende el valor del seguro?
(*b*) ¿Adónde va la clienta?
(*c*) ¿Qué tipo de seguro preferiría?
(*d*) ¿Qué tipo de seguro le dice el empleado que le convendría?
(*e*) ¿Por cuánto dinero le saldría?
(*f*) ¿Qué tendría que hacer la clienta para obtener la póliza de seguro?

8 Translation

You are working for an insurance company in New York and you have been asked to translate into English the following letter from a South American customer.

COMPAÑIA FRUTERA DEL PACIFICO

Avda. Miramar 1321 — Tel. 527 42 01 — Valparaíso — Chile

Valparaíso, 15 de enero de 19..

Floyd Insurance Ltd
452 Bank Street
Nueva York
Estados Unidos

Muy señores nuestros:

Les rogamos que nos informen sobre lo que costaría asegurar contra todo riesgo un cargamento de plátanos, transportado desde Guayaquil, Ecuador, a Valparaíso, Chile, en el barco Lautaro de la Compañía Sudamericana de Transporte Marítimo. El valor de la factura es de $120.000 (dólares).

Les saluda muy atentamente.

Ignacio Campos
Jefe del Departamento de Transporte
COMPAÑIA FRUTERA DEL PACIFICO

9 Get together with another student and make up a conversation based on the following situation:
Student A: While in Spain on business you decide to hire a car. You go into a car rental company and ask the person in charge: how much it would cost to hire a SEAT IBIZA on a weekly basis, whether you could leave it at the airport

when you return home, how much the insurance would be per week, whether you would have to leave a deposit and how much this would be and whether you could pay with your credit card.

Student B: You are an employee at a car rental firm in Spain. A customer comes in to make inquiries about hiring a SEAT IBIZA. Answer the customer's questions by looking at the information below.

Useful words and phrases

¿Cuánto me costaría? How much would (it) cost me?
Le costaría... It would cost you ...
¿Podría entregarlo en...? Could I leave it at ...?
¿A cuánto me saldría...? How much would it come to ...?
¿Tendría que dejar...? Would I have to leave ...?
¿Cuánto sería...? How much would (it) be ...?
¿Podría pagar...? Could I pay ...?

TIPO DE COCHES		DIARIO	SEMANAL
A	RENAULT CLIO	3.200	19.220
B	SEAT IBIZA CLX	3.800	22.900
C	RENAULT 19 RL1.4 SEAT CORDOBA	4.500 "	27.500 "
D	SEAT CORDOBA SX	5.000	32.450
E	RENAULT 19RT1.8 SEAT TOLEDO	6.850 "	45.350 "
F	SEAT ALHAMBRA	7.775	52.625
SEGUROS: CLIO 850.-ptas. diarias – Demás vehículos 990.-ptas. diarias			

INFORMACION

ENTREGA Y RECOGIDA DE VEHICULOS
Los vehículos que figuran en esta tarifa, pueden ser entregados y recogidos, sin cargo alguno, en el Aeropuerto, Hoteles, Agencias de Viaje, etc.
EDAD DEL CONDUCTOR
Mínimo 23 años de edad y con tres años de experiencia en la posesión del Permiso de Conducir.
SEGUROS
En nuestra tarifa van incluidos los seguros de Responsabilidad Civil, seguro Obligatorio y Responsabilidad Criminal, debiendo el cliente aceptar el seguro de protección contra choque del coche, pagando un suplemento de 850 ptas. por día ó 4,850 ptas. por semana para el grupo A y de 950 ptas. por día ó 5.850 por semana para los grupos B,C,D,E,F.
DEPOSITO
El depósito de garantía mínimo por día será de 11.500 ptas. pudiendo la Compañía cambiarlo en cualquier momento, o bien según criterio de sus Directores.
GASOLINA E IMPUESTOS
Estos suplementos no están incluidos en nuestros precios. El, I.T.E. (4 por ciento), será pagado por el cliente. Los gastos de aceite y engrase son a cargo de la Compañía, si bien podrán pagarse al cliente, previa presentación de comprobantes, en caso de haber utilizado alguno de estos servicios.
TARJETAS DE CREDITO
Se aceptan todas las Tarjetas de Crédito acreditadas internacionalmente.
MULTAS DE TRAFICO Todas las infracciones serán a cargo del cliente.
TARIFAS Se entiende siempre en pesetas.

Listening comprehension 

Read the arguments put forward to an employer by a young aspiring executive seeking a salary increase, then listen to this discussion between the two and write in Spanish the counter-arguments presented by the employer.

(*a*) Su aspiración: Durante dos años no he recibido ni un céntimo más de lo que correspondía según convenio. Creo que ya es hora de que se me reconozca mi productividad en el sueldo.
Respuesta de la jefa: ....
....

(*b*) Su aspiración: Durante los últimos dos años he estado preparándome de forma intensiva en un sector especial, y desde entonces estoy desempeñando tareas adicionales. ¿No cree usted que es justo que el año próximo vea justamente remunerado este aumento en mi productividad?
Respuesta de la jefa: ....
....

(*c*) Su aspiración: Desde hace años, mis colegas ganan más que yo, a pesar de que no es mayor su producción. ¿No cree usted que se me debería dar el mismo trato?
Respuesta de la jefa: ....
....

(*d*) Su aspiración: el año pasado y los dos primeros trimestres de este año he superado ampliamente mis objetivos de ventas. ¿No cree usted que ya sería hora de que se me recompensara con un estimulante aumento de sueldo?
Respuesta de la jefa: ....
....

(*e*) Su aspiración: Mi departamento ha producido el año pasado unos beneficios inusitados. ¿No cree usted que un aumento de tal categoría en el compromiso con la empresa también precisaría de un fuerte aumento en los ingresos?
Respuesta de la jefa: ....
....

(*Actualidad Económica* Nº 1275)

Reading comprehension

The first passage below looks at the Spanish educational system and its present structure; the second looks at the Spanish press and reading habits among Spanish people; the third passage takes a brief look at Spanish television and the type of programmes which fill the small screen. Before you read the texts, look at the key words which precede each of them, then answer the questions which follow them.

A El sistema educativo español

ley (*f*) law
en la actualidad at present
educación infantil (*f*) nursery education
educación primaria (*f*) primary education
educación secundaria (*f*) secondary education
etapa (*f*) stage
bachillerato (*m*) secondary education and the qualification obtained
conocimiento (*m*) knowledge
asignatura (*f*) school subject
lengua extranjera (*f*) foreign language
educación plástica (*f*) plastic arts education
formación profesional (*f*) vocational training

En 1991, una nueva ley modificó sustancialmente el sistema educativo español. En la actualidad, éste está organizado de la siguiente manera:

(*a*) *Educación infantil*
La educación infantil, que se extiende hasta los seis años, tiene carácter voluntario.

(*b*) *Educación primaria*
La educación primaria, con carácter obligatorio y con un contenido común para todos los alumnos, va desde los seis hasta los doce años.

(*c*) *Educación secundaria*
La educación secundaria incluye una etapa obligatoria que va desde los doce hasta los dieciséis años, y una etapa voluntaria – el bachillerato – desde los dieciséis años.
La educación secundaria obligatoria (12–16 años) está dividida en dos períodos, de dos años cada uno, y está estructurada en base a áreas de conocimiento, e incluye también algunas asignaturas obligatorias: Ciencias de la Naturaleza, Ciencias Sociales, Geografía e Historia, Educación Física, Educación Plástica y Visual, Lengua castellana y Literatura (y, si corresponde, lengua de la comunidad autónoma), Lenguas extranjeras, Matemáticas, Música, Tecnología. La educación secundaria incluye también, al igual que el bachillerato, formación básica de carácter profesional.

La educación secundaria es obligatoria desde los 12 hasta los 16 años

1 Answer in English

(*a*) When does primary education start?
(*b*) When does secondary education start?
(*c*) How is secondary education structured?
(*d*) What subjects are compulsory?

B La prensa

contar con (**o>ue**) to have
periódico (*m*) newspaper
revista (*f*) magazine
el más conocido the best known
tirada (*f*) circulation
año siguiente (*m*) following year
muerte (*m*) death
alcanzar to reach
difusión (*f*) coverage
bajo low
lectura (*f*) reading
encuesta (*f*) survey
prensa del corazón (*f*) gossip magazines
de moda in fashion, fashionable
realeza (*f*) royalty

España cuenta hoy con varios periódicos nacionales, y un gran número de revistas. Entre los periódicos nacionales, el más conocido y el de mayor prestigio y tirada es *El País,* publicado por primera vez en 1976, el año siguiente a la muerte de Franco. Su tirada, sin embargo, se sitúa en los 500 mil ejemplares más o menos, cifra muy inferior a la que alcanzan otros periódicos europeos, en Gran Bretaña y Francia, por ejemplo.

La prensa española tiene, en general, poca difusión

La prensa española tiene poca difusión, y ello se debe, en gran medida, al bajo nivel general de lectura que se da entre los españoles. Según las encuestas, los españoles leen poco. Al momento de leer, la mayoría de las personas prefiere *la prensa del corazón,* es decir, revistas de corte romántico donde figuran de manera prominente los personajes de moda a nivel nacional e internacional. En ellas, la realeza británica ocupa un lugar de preferencia.

1 Answer in Spanish

(*a*) ¿Cómo se llama el periódico de mayor tirada en España?
(*b*) ¿Qué tirada tiene?
(*c*) ¿Cuál es una de las causas de la poca difusión de la prensa española?
(*d*) ¿Qué prefiere leer la mayoría de la gente?

C La televisión

televisivo (*adj*) television
canales autonómicos (*m pl*) TV channels in the Spanish self-governing regions
transmisión (*f*) broadcast
privada private
oferta (*f*) offer
deja mucho que desear it leaves much to be desired
periodística journalistic
noticiero (*m*) newsreel
escaso scarce
concurso (*m*) contest
telenovela (*f*) soap opera
informativo (*adj*) information

La televisión es el gran pasatiempo de los españoles de todas las edades y predomina sobre todos los otros medios de comunicación. En los años ochenta, el panorama televisivo español cambió sustancialmente cuando hicieron su aparición los canales autonómicos. Paralelamente a la televisión nacional, comunidades autónomas como Cataluña, Galicia y el País Vasco, iniciaron su propia programación, utilizando su propia lengua (el catalán, el gallego y el euskera, respectivamente). Otras comunidades autónomas, de habla castellana, comenzaron también sus propias transmisiones. Más tarde hizo su aparición la televisión privada, lo que aumentó considerablemente la oferta. La calidad de la televisión española, sin embargo, todavía deja mucho que desear. El espacio dedicado a la programación cultural y a la periodística – sin contar los noticieros habituales – es escaso en comparación con el tiempo dedicado a programas frívolos tales como

La televisión es el gran pasatiempo de los españoles

concursos, telenovelas, y a los deportes, principalmente el fútbol. Es cierto que ha habido avances, y algunos programas culturales e informativos son de excelente calidad, pero aún la televisión española está lejos de alcanzar los niveles de excelencia conseguidos por algunos países de la Unión Europea.

1 What phrases have been used in the passage **La televisión** to express the following?

(*a*) It dominates the rest of the media.
(*b*) They started their own programmes.
(*c*) They started their own broadcasts.
(*d*) It is true that there has been progress.
(*e*) It is far from reaching the levels of excellence achieved by some countries in the European Union.

2 What phrases have been used in the same passage to express the following?

(*a*) in the eighties
(*b*) they made their appearance
(*c*) in parallel with
(*d*) Castilian-speaking
(*e*) in comparison with
(*f*) such as

3 Translate the passage **La televisión** into your own language.

Summary

A Discussing hypothetical situations

¿Cree usted que el país se beneficiaría si se obligara al comercio y a las industrias a implantar la jornada intensiva de trabajo? *Do you think that the country would benefit if commerce and industry were obliged to bring in the intensive working day?*

Yo creo que si España racionalizara sus horarios el país cambiaría radicalmente. *I think that if Spain were to rationalise its working hours the country would change radically.*

El túnel tendría 47 kilómetros de largo. Sólo 29 kilómetros estarían bajo el mar. Este túnel permitiría conectar las redes de ferrocarriles de los dos países. *The tunnel would be 47km long. Only 29km would be under the sea. This tunnel would enable the rail networks in each country to link up.*

B Asking for information about insurance

¿Podría decirme cuánto me costaría un seguro de viaje de treinta días? *Could you tell me how much thirty-day travel insurance would cost me?*

C Arranging to hire a car

¿Cuánto me costaría alquilar un SEAT Ibiza? *How much would it cost me to hire a SEAT Ibiza?*

¿Podría entregarlo en el aeropuerto? *Could I leave it at the airport?*

Grammar

1 The conditional tense

-ar, -er and **-ir** verbs have the same endings:

cambiar
cambiar**ía**
cambiar**ías**
cambiar**ía**
cambiar**íamos**
cambiar**íais**
cambiar**ían**

The conditional is used to indicate what would or might happen:

El país **cambiaría** radicalmente.	*The country would change radically.*
Una modificación de los horarios **sería** revolucionaria.	*A change in the working hours would be revolutionary.*
Este túnel **permitiría** conectar a los dos países.	*This tunnel would enable the two countries to link up.*

2 Irregular conditional forms

caber:	**cabría**	**poner:**	**pondría**
decir:	**diría**	**saber:**	**sabría**
haber:	**habría**	**salir:**	**saldría**
hacer:	**haría**	**tener:**	**tendría**
poder:	**podría**	**venir:**	**vendría**

El individuo **tendría** más tiempo para reflexionar.	*The individual would have more time to think things over.*
¿Hasta qué cantidad **podría** solicitar?	*Up to how much could I order?*

Un seguro combinado le **saldría** por cuatro mil pesetas. *A combined insurance would work out at four thousand pesetas.*

(Nosotros) **tendríamos** que salir hoy. *We would have to leave today.*

(Ellos) **tendrían** que estar aquí a las seis. *They would have to be here at six.*

3 Other uses of the conditional

For politeness: ¿**Podría decirme** cuánto me costaría un seguro de viajes? *Could you tell me how much travel insurance would cost?*

Likes: ¿**Les gustaría** tener más tiempo libre? *Would you like to have more free time?*

Preferences: **Preferiría** un seguro que cubriese pérdida de equipaje. *I would prefer an insurance policy which covered loss of luggage.*

4 The imperfect subjunctive

The imperfect subjunctive of **-ar** verbs has alternative endings **-ara** etc. or **-ase** etc., which for all practical purposes are interchangeable.

termin**ar**	
termin**ara**	termin**ase**
termin**aras**	termin**ases**
termin**ara**	termin**ase**
termin**áramos**	termin**ásemos**
termin**arais**	termin**aseis**
termin**aran**	termin**asen**

Hypothetical situations:

Si se **terminara** este ir y venir, el individuo rendiría más. *If all this coming and going were stopped, the individual would produce more.*

Si se **implantara** la jornada intensiva, el país cambiaría. *If the intensive day were to come in, the country would change.*

-er and **-ir** verbs have similar endings:

volv**er**	
volv**iera**	volv**iese**
volv**ieras**	volv**ieses**
volv**iera**	volv**iese**
volv**iéramos**	volv**iésemos**
volv**ierais**	volv**ieseis**
volv**ieran**	volv**iesen**

Hypothetical situations:

Si yo **volviese** temprano te llamaría. *I would call you if I came back early.*

Si le **escribiésemos** creo que nos respondería. *If we were to write to him I think he would reply.*

The imperfect subjunctive is formed from the 3rd person plural of the preterite indicative:

Regular verbs		
Infinitive	**Preterite**	**Imperfect subjunctive**
tom**ar**	tom**aron**	tom**ara** etc./tom**ase** etc.
beb**er**	beb**ieron**	beb**iera** etc./beb**iese** etc.
escri**bir**	escrib**ieron**	escrib**iera** etc./escrib**iese** etc.

There is no exception to this rule which covers all the irregular verbs as well (see Unit 2, page 21).

Irregular verbs		
Infinitive	**Preterite**	**Imperfect subjunctive**
dar	**dieron**	**diera** etc./**diese** etc.
decir	**dijeron**	**dijera** etc./**dijese** etc.
haber	**hubieron**	**hubiera** etc./**hubiese** etc.
hacer	**hicieron**	**hiciera** etc./**hiciese** etc.
ir	**fueron**	**fuera** etc./**fuese** etc.
poder	**pudieron**	**pudiera** etc./**pudiese** etc.
poner	**pusieron**	**pusiera** etc./**pusiese** etc.
querer	**quisieron**	**quisiera** etc./**quisiese** etc.
saber	**supieron**	**supiera** etc./**supiese** etc.
ser	**fueron**	**fuera** etc./**fuese** etc.
tener	**tuvieron**	**tuviera** etc./**tuviese** etc.
traer	**trajeron**	**trajera** etc./**trajese** etc.
venir	**vinieron**	**viniera** etc./**viniese** etc.

5 Other uses of the imperfect subjunctive

Like the present subjunctive, the imperfect subjunctive is used in the following ways:

- after impersonal expressions not stating a fact
- after an expression of emotion, doubt or possibility
- as an indirect command to another person or a group of people

This tense replaces the present subjunctive when the main verb is in a tense other than the present, the future or the present perfect.

Ella quería que **fuéramos** a España para las vacaciones.	*She wanted us to go to Spain for the holidays.*
Yo esperaba que tú **volvieras** pronto.	*I was hoping you would come back soon.*
Dudábamos que ellos **estuvieran** allí.	*We doubted whether they were there.*
Les dije que **vinieran**.	*I told them to come.*
Nos gustaría que nos **escribiera**.	*We would like him to write to us.*
Me habían dicho que no **entrara**.	*They had told me not to go in.*

6 Si

Note the use of **si**, meaning *if*. (Do remember to put an accent on if you want it to mean *yes*!). Note too the change in the sequence of tenses. Here, the present indicative goes with the future, and the imperfect subjunctive with the conditional.

Si se **implanta** la jornada intensiva el país entero **cambiará**.	*If the intensive day comes in then the whole country will change.*
Si se **implantara** la jornada intensiva el país entero **cambiaría**.	*If the intensive day were to come in then the whole country would change.*
Si **puedo**, **iré**.	*If I can, I'll go.*
Si **pudiera**, **iría**.	*If I could, I would go.*

Unidad 12

Si me hubiesen informado

What you will learn in this unit
- To express unfulfilled conditions
- To express agreement and disagreement
- To express cause

A Expressing unfulfilled conditions

Oral report 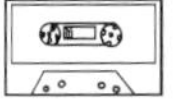

Marta Paredes works for an international company based in Spain. She has just returned from South America where she visited the offices in Mexico City, Caracas, Rio de Janeiro and Buenos Aires. Unfortunately, in Caracas, things went wrong. In the course of a meeting, señora Paredes refers to what happened during her visit to Caracas.

Bueno… como algunos de ustedes ya sabrán, desgraciadamente mi estancia en Caracas no fue muy provechosa y me gustaría dejar bien en claro que aquí ha habido negligencia por parte de uno de nuestros empleados. La compañía en Caracas había sugerido a nuestra oficina central que yo aplazara mi viaje, ya que en la fecha programada el personal estaría de vacaciones debido a las fiestas de Carnaval que se celebran en todo el país. Pues

bien, esta comunicación no me fue entregada y yo salí de México para Caracas de acuerdo con mis planes. Al llegar al aeropuerto de Maiquetía me encontré con que no había nadie esperándome. Llamé por teléfono a la compañía pero no obtuve respuesta. Como tampoco había un hotel reservado para mí tuve que buscar alojamiento yo misma, lo que resultó bastante difícil, pues debido a las fiestas de Carnaval la mayoría de los hoteles estaban completos.
Sólo al día siguiente pude ponerme en contacto con uno de los jefes de la compañía, quien naturalmente se encontraba en casa haciendo uso de sus vacaciones. Si me hubiesen informado en el momento oportuno sobre la situación en Caracas, yo habría aplazado mi viaje a esa ciudad para otra fecha y no habría tenido que pasar las molestias que pasé. Tampoco habría perdido tiempo buscando alojamiento y tratando de comunicarme con el personal de la compañía en sus propias casas. Creo que es importante que esto no vuelva a suceder y así se facilitarán las visitas a nuestras filiales y se evitarán muchos contratiempos innecesarios.

Practice

1 Answer in Spanish

(*a*) ¿Qué había sugerido la compañía en Caracas?
(*b*) ¿Por qué había hecho esa sugerencia?
(*c*) ¿Qué pasó con la comunicación?
(*d*) ¿Adónde viajó la señora Paredes desde México?
(*e*) ¿Qué pasó al llegar al aeropuerto de Maiquetía?
(*f*) ¿Qué decidió hacer la señora Paredes?
(*g*) ¿Qué dificultades tuvo con respecto al alojamiento?
(*h*) ¿Con quién se puso en contacto al día siguiente?
(*i*) ¿Qué habría hecho ella si le hubiesen informado sobre la situación en Caracas?
(*j*) ¿Qué tipo de molestias se habría evitado?
(*k*) ¿Por qué cree ella que es importante que esto no vuelva a suceder?

2 You have just arrived in Caracas on business and find that no one is waiting for you at the airport. You decide to take a taxi and book a room at one of the main hotels in the capital. Complete your side of the conversation with the hotel receptionist.

Recepcionista Buenas tardes. ¿En qué puedo servirle?

Usted (*Say you have just arrived from abroad and are looking for a room. Ask if he has any.*)

Recepcionista Desgraciadamente no tenemos ninguna. En época de carnaval es muy difícil encontrar alojamiento. Si usted nos hubiese escrito o llamado por teléfono con antelación le hubiéramos reservado una.

Usted	*(Ask him if he can suggest another hotel.)*
Recepcionista	Le sugiero que vaya al Hotel Las Américas. Puede que ellos tengan alguna.
Usted	*(Ask him if you can telephone the Hotel Las Américas from here. You don't want to waste your time, in case they don't have any rooms.)*
Recepcionista	Sí, sí. Allí al lado de los ascensores hay un teléfono.

La mayoría de los países latinoamericanos celebra fiestas de carnaval. En la foto, carnaval boliviano.

3 A telephone conversation

Get together with another student and make up a conversation based on this situation:

Student A: You are visiting a company in a Spanish-speaking country. You receive a telephone call from an acquaintance inviting you to go out for lunch the next day. Thank him and say you have already accepted an invitation for lunch from the general manager of the company you are visiting. Say that if he had told you before you would have accepted gladly. He suggests another date to which you agree.

Student B: A business person from abroad is visiting your country. You know this person and decide to telephone the hotel and invite him out for lunch. Unfortunately, the day you suggest is not convenient as he has other commitments. Suggest another day and make arrangements to meet.

Useful words and phrases

Quisiera invitarlo/la... I would like to invite you ...
Si me hubiese dicho antes... If you had told me before ...
habría aceptado con mucho gusto I would have accepted gladly

4 Writing

Siderúrgica Bilbao S.A. was expecting a government subsidy to be able to continue operating normally. Unfortunately, this was rejected and it will be necessary to resort to closures and redundancies as well as other economies.

Here is a list of some of the actions which could have been avoided if the subsidy had been granted.

- cerrar la planta de San Sebastián
- despedir al personal
- reducir el personal en la planta de Bilbao
- racionalizar los gastos de oficinas y servicios
- suprimir bonos y otros beneficios para el personal.

Now complete this text using the information above.

Si el gobierno nos hubiese concedido la subvención no *hubiéramos cerrado* la planta de San Sebastián,

no .... al personal,

no .... el personal en la planta de Bilbao,

no .... los gastos de oficinas y servicios,

no .... bonos y otros servicios para el personal.

5 Writing

Hacia un mundo computerizado

Technology and especially computers are now used everywhere and in almost every profession. In the passage which follows, the famous Latin American novelist Gabriel García Márquez tells us what would have happened if he had been given a computer twenty years ago. First, look at these key words, then consider the questions below before you read the text. Finally write down your answers in English.

Useful words and phrases

obra (*f*) work
angustiosas distressing
escritor (*m*) writer
máquina de escribir (*f*) typewriter
archivador de información (*m*) information file
ventaja (*f*) advantage
párrafo (*m*) paragraph
apretar un botón to press a button
sacar en borrador to do in rough
mecanógrafa (*f*) typist
escritura (*f*) writing
se volvía it became
mecanografía (*f*) typing
romper to tear
volver a empezar to start again
principio (*m*) beginning
cansancio (*m*) tiredness

(*a*) According to the writer, what would have happened if he had been given a computer twenty years ago?
(*b*) How does he use his computer?
(*c*) What advantage does he see in it?
(*d*) Why did he become exasperated when he used his typewriter?

'Si a mí me hubieran dado hace veinte años una computadora, tendría, no sé, el doble de la obra que he hecho', declaró en una reciente entrevista el escritor Gabriel García Márquez. Para los amantes de las novelas del célebre escritor latinoamericano, sus palabras son angustiosas. El genio creador del escritor, unido a la fría tecnología del computador, podrían haber aumentado en forma considerable las obras de García Márquez.
'Yo la uso como una máquina de escribir; no la uso como archivador de información. Es una máquina de escribir con la gran ventaja de que si este párrafo no es aquí sino mejor en la página 40, lo pasas a la página, cierras y ya sabes dónde está. Y luego todos los días aprietas un botón y tienes un original completo, que antes tenía que sacar en un borrador una mecanógrafa, que era esperar quince días.'
'Hay momentos en que la escritura diaria en máquina de escribir me desesperaba mucho porque se volvía un trabajo físico, en el sentido que donde cometía un error, inclusive de mecanografía, lo consideraba como un error de creación. Rompía y volvía a empezar desde el principio de la página. Terminaba con un cansancio tremendo...'
(*Diario El Mercurio,* Santiago de Chile)

B Expressing agreement and disagreement

Interview

En 1993 había en España casi un 30 por ciento de jóvenes entre dieciséis y diecinueve años parados. La mayor parte de ellos no ha trabajado nunca, excepto en forma esporádica y sin continuidad. Una periodista habla sobre el paro juvenil con el jefe de personal de una importante empresa del ramo de la exportación.

Pregunta ¿No cree usted que si las empresas hubiesen hecho un esfuerzo conjunto habría sido posible crear un mayor número de puestos de trabajo para los jóvenes?

Respuesta No, no, en eso no estoy de acuerdo con usted. Dada la actual situación económica del país, y concretamente la de nuestra empresa, no nos habríamos podido permitir el lujo de contratar a jóvenes que buscan su primer empleo. Habríamos tenido que enseñarles y nosotros lo que queremos es que nos rindan desde el primer momento. Por eso, cuando necesitamos cubrir un puesto de trabajo, pedimos gente que conozca el oficio.

Pregunta A menudo se oye decir que existe un divorcio entre el sistema educativo y el mercado de trabajo. ¿Está de acuerdo usted con esta afirmación?

Respuesta Bueno, sí, yo estoy totalmente de acuerdo en que habría que modificar el actual sistema educativo para ir adecuándolo al mercado de trabajo, rompiendo este actual divorcio entre la escuela y la empresa. Si las autoridades educacionales hubieran previsto la situación actual, hoy no tendríamos cien mil titulados universitarios en paro como tenemos ahora.

Practice

1 Answer in Spanish

(*a*) ¿Qué porcentaje de jóvenes parados había en España en 1993?
(*b*) ¿Qué experiencia laboral tenían esos jóvenes?

2 Summary

Summarise briefly in English the opinions given by the Spanish executive on youth unemployment.

3 Ad hoc interpreting 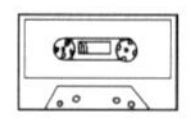

A Spanish government official visiting your country is interviewed by an English-speaking journalist. Interpret between the two.

4 Sustained speaking

Look at the following statements and say whether you agree or disagree with each of them and why. Add also other ideas of your own.

El joven de los años 90

(*a*) Deberá saber idiomas.
(*b*) El joven deberá complementar sus estudios con la práctica.
(*c*) Deberá tener una cultura general amplia y buena.
(*d*) Tendrá que viajar con cierta frecuencia fuera de su país y estar dispuesto a trabajar en otra ciudad que no sea la de su residencia habitual.
(*e*) Deberá estar dispuesto a trabajar en equipo, para lo cual tendrá que ser comunicativo y extrovertido.
(*f*) Tendrá que vestir bien, usar más la corbata y no llevar barba.

Useful words and phrases

(No) estoy de acuerdo con... I (dis)agree with ...
Yo discrepo de esta opinión I disagree with this opinion
Yo estaría de acuerdo en que... I would agree that ...

Listening comprehension

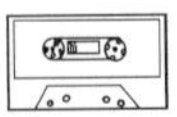

Luisa Martínez, a leading member of the Mexican Tourist Board, is interviewed by a journalist. Listen to the interview and answer the following questions in English:

(*a*) How does señora Martínez see the future of the Mexican tourist industry?
(*b*) Does she think that the Mexican Government has done enough for the tourist industry?
(*c*) What percentage of public expenditure goes to this sector?
(*d*) Does señora Martínez think the present budget is adequate?
(*e*) What is needed, according to her, to develop tourism further?
(*f*) How important is the hotel trade in Mexico?
(*g*) Are Mexican investors interested in the future of the tourist industry?

Reading comprehension

In the passages which follow you will read, first about religious celebrations, and then about the role of the Catholic Church in Spain and Latin America. You will then read about the main differences between the Spanish spoken in Spain and that spoken in Latin America. Before you study each passage, look at the key words which precede it, then answer the questions which follow.

A Fiestas religiosas

jugar un papel to play a role
santo (*m*) saint
suelen celebrar they usually celebrate
beber una copa to have a drink
Semana Santa (*f*) Holy Week, Easter
Navidad (*f*) Christmas
rito (*m*) rite
incaica (*adj*) Inca
canto (*m*) song
baile (*m*) dance
imagen (*f*) statue
a su paso as they pass
acercarse to approach
cantar to sing
villancico (*m*) Christmas carol
pesebre (*m*) crib

La religión juega un papel muy importante tanto en España como en la América Latina y muchas de las fiestas y festivales tienen origen religioso. Tradicionalmente, las personas celebran el día de su santo. Así, el día de San Juan, aquéllos llamados Juan suelen celebrar aquel día invitando a amigos a cenar o a beber una copa.

Procesión de Semana Santa en una ciudad de España

La Semana Santa y la Navidad son las fiestas más importantes del año. En España, la Semana Santa se celebra con procesiones por las calles, en las que participan miles de personas. Las más famosas son las de Sevilla. Famosas también son las celebraciones de Semana Santa en algunos lugares de Latinoamérica. En países con gran población indígena, como Bolivia, Perú, Ecuador, en las celebraciones de Semana Santa los ritos cristianos se mezclan con antiguos ritos de la religión incaica. Cantos y bailes indígenas acompañan a las imágenes religiosas a su paso por las calles. La Navidad es, al igual que en otros países cristianos, una fecha muy importante. En España, por ejemplo, al acercarse la Navidad se cantan villancicos en las calles y en las iglesias, y los tradicionales árboles de Navidad y los pesebres adornan las plazas de pueblos y ciudades.

1 Answer in English

(*a*) How do people normally celebrate their Saint's day in Spain and Latin America?
(*b*) Which are the most important religious feasts?
(*c*) How is Holy Week celebrated?
(*d*) What happens during celebrations in countries with a large indigenous population?
(*e*) How do people celebrate the coming of Christmas in Spain?

B La Iglesia Católica

ejercer to exert
pese a despite
jerarquía eclesiástica (*f*) ecclesiastical hierarchy
abrir el camino to open the way
controvertidas controversial
tras after
aprobar una ley to pass a law
divorcio (*m*) divorce
despenalización (*f*) legalisation
aborto (*m*) abortion
innovadores innovative
vinculada bound
protector/a (*m/f*) patron
pobres (*m pl*) the poor
defensor/a (*m/f*) defender
derechos humanos (*m pl*) human rights
apoyo (*m*) support
luchar to fight

La Iglesia Católica, como institución, sigue ejerciendo una enorme influencia en los países de habla hispana, especialmente en Latinoamérica. En España, la Constitución de 1978 estableció la separación de iglesia y estado y, pese a la oposición de la jerarquía eclesiástica y de muchos católicos, abrió el camino para la legalización, en 1981, del divorcio, una de las leyes más controvertidas de la época posfranquista. En 1985, y tras un largo e intenso debate, se aprobó la Ley de Despenalización del Aborto, otra de las leyes que enfrentaría a católicos con los sectores más innovadores de la sociedad.
En América Latina, la Iglesia, tradicionalmente vinculada a los grupos dominantes, se transformó, a partir de los años sesenta, en protectora de los pobres y defensora de los derechos humanos frente a la violencia de los regímenes dictatoriales de la región. Ejemplo de ello fue el apoyo de la Iglesia Católica, en los años setenta y ochenta, a quienes luchaban por sus derechos en países como El Salvador y Chile.

1 What phrases are used in the text to express the following?

(*a*) (it) continues to exert enormous influence
(*b*) Spanish-speaking countries
(*c*) separation of Church and state
(*d*) (it) was passed
(*e*) dominant groups
(*f*) (it) became
(*g*) from the sixties on
(*h*) dictatorial regimes

2 Translation

Translate the passage into your own language.

B El español de España y el de América

tal como just as
suceder to happen
dentro within
alrededores (*m pl*) outskirts
sonido (*m*) sound
en su lugar in its place
ante before
aspirada aspirated
tampoco neither, not … either
sustituido replaced
asimismo likewise
se está haciendo it is becoming
cada vez más more and more
a pesar de in spite of
hispanohablante (*m/f*) Spanish speaker

Tal como sucede con el inglés británico y el norteamericano, existen marcadas diferencias entre el español hablado en España y el que se habla en Hispanoamérica, diferencias que también se dan dentro de España. El español hablado en Madrid y sus alrededores por ejemplo, es diferente al español de Andalucía o al que se habla en Cataluña.

Algunas de las diferencias entre el español peninsular y el hispanoamericano tienen que ver con la pronunciación, otras con la gramática y el vocabulario.

(*a*) *Pronunciación* Las principales diferencias de pronunciación están dentro de las consonantes. Así, el sonido español **z**, tal como lo encontramos en la **z** de **diez**, o la **c** de **gracias**, no existe en Hispanoamérica. En su lugar encontramos el sonido **s**. Pero esto no es exclusivo de Hispanoamérica, ya que esta pronunciación de **z** y **c** también se da en el sur de España.
En algunos países de América Latina, como Venezuela, Argentina, Chile, y también en el sur de España, al final de una palabra y ante una consonante, la **s** se transforma normalmente en una **h** aspirada: **buenah tardeh**, en lugar de **buenas tardes**, **hahta luego**, en lugar de **hasta luego**.

(*b*) *Gramática* Una de las diferencias gramaticales más importantes es la no utilización en Hispanoamérica del pronombre personal **vosotros** (*you*, familiar, plural) y de las formas verbales correspondientes. En lugar de **vosotros** se utiliza **ustedes**, sin diferenciar entre informalidad o formalidad. Tampoco se utiliza el posesivo **vuestro** (*yours*, familiar), el que ha sido sustituido por los posesivos **su** (*your*) y **suyo** (*yours*), o la forma de **ustedes**, por ejemplo:
su coche, **el coche suyo**, or **el coche de ustedes**, *your car* (the last form, **de ustedes**, avoids possible ambiguity, as **su coche** and **el coche suyo** can also translate as *his car, her car*, or *your car*, singular).
En algunos países de Hispanoamérica se prefiere usar el pretérito, por ejemplo **trabajé** (*I worked*), **hablé** (*I spoke*) en contextos en los que un español utilizaría el perfecto, **he trabajado** (*I have worked*), **he hablado** (*I have spoken*). Asimismo, existe preferencia por el uso de **ir a** + infinitivo, por ejemplo **voy a viajar** (*I am going to travel*), **vamos a volver** (*we are going to return*) en lugar del futuro, **viajaré** (*I will travel*), **volveremos** (*we will return*). Este uso, sin embargo, se está haciendo cada vez más extensivo en España, especialmente en el lenguaje hablado.

(*c*) *Vocabulario* Las mayores diferencias entre el español de España y el de América se dan en el área del vocabulario, especialmente en relación con términos relativos a la fauna, flora o productos típicos de cada región. Y es en el área del vocabulario también donde encontramos las mayores diferencias entre un país y otro de Hispanoamérica. La lista que sigue contiene algunos términos que ilustran diferencias de vocabulario entre España e Hispanoamérica:

España	**Hispanoamérica**	**Inglés**
apresurarse, darse prisa	apurarse	*to hurry*
el billete	el boleto	*ticket*
la taquilla	la boletería	*ticket office*
el sello	la estampilla	*stamp*
el autocar	el bus, el ómnibus	*coach, bus*
el melocotón	el durazno	*peach*
conducir	manejar	*to drive*
perezoso	flojo	*lazy*

Al español de España y a otras lenguas europeas, como el inglés, se han incorporado muchas palabras originarias de América, tales como **tomate, maíz, patata, chocolate, cacao**.
A pesar de estas diferencias y de la influencia de lenguas extranjeras, especialmente del inglés, el español continúa siendo una sola lengua, y los hispanohablantes de distintas partes del mundo pueden comunicarse entre sí. El contacto cada vez mayor entre España e Hispanoamérica, tanto comercial como cultural, la literatura hispana, la prensa y la televisión en español, son todos factores que contribuyen a preservar la unidad de la lengua castellana.

1 Summary

What are the main differences between the Spanish spoken in Spain and Latin American Spanish? Summarise the main points in your own language.

Summary

A Expressing unfulfilled conditions

Si me hubiesen informado en el momento oportuno yo habría aplazado mi viaje. *If they had only told me at the right time I would have postponed my trip.*

Si usted nos hubiese escrito o llamado por teléfono con antelación le hubiéramos reservado una. *If you had only written or rung beforehand we would have reserved you one.*

B Expressing agreement and disagreement

Yo estoy totalmente de acuerdo en que habría que modificar el actual sistema educativo. *I agree totally that the present education system would have to be changed.*

Sí, estoy de acuerdo.	*Yes, I agree.*
No, no estoy de acuerdo (con usted).	*No, I don't agree (with you).*

C Expressing cause

Habían sugerido que yo aplazara mi viaje, ya que el personal estaría de vacaciones.
They had suggested that I postpone my trip as the staff would be on holiday.

Debido a las fiestas de Carnaval la mayoría de los hoteles estaban completos.
Owing to Carnival most hotels were full.

Grammar

1 The pluperfect subjunctive

imperfect subjunctive of **haber** + past participle

	(-**a**r verbs)	(-**er** verbs)	(-**i**r verbs)
hubiera/hubiese	inform**ado**	perd**ido**	ven**ido**
hubieras/hubieses	inform**ado**	perd**ido**	ven**ido**
hubiera/hubiese	inform**ado**	perd**ido**	ven**ido**
hubiéramos/hubiésemos	inform**ado**	perd**ido**	ven**ido**
hubierais/hubieseis	inform**ado**	perd**ido**	ven**ido**
hubieran/hubiesen	inform**ado**	perd**ido**	ven**ido**

It is used to express doubt, conjecture or degrees of possibility.

Si me **hubiera** informado antes... *If you had told me before ...*

No **hubiéramos** perdido tiempo... *We would not have wasted time ...*

Si **hubiesen** venido... *Had they come ...*

Compare this form with the present perfect subjunctive in Unit 10, page 133.

2 The conditional perfect

conditional of **haber** + past participle

	(-**ar** verbs)	(-**er** verbs)	(-**ir** verbs)
habría	aplaz**ado**	ten**ido**	reduc**ido**
habrías	aplaz**ado**	ten**ido**	reduc**ido**
habría	aplaz**ado**	ten**ido**	reduc**ido**
habríamos	aplaz**ado**	ten**ido**	reduc**ido**
habríais	aplaz**ado**	ten**ido**	reduc**ido**
habrían	aplaz**ado**	ten**ido**	reduc**ido**

Habría aplazado el viaje. *She would have postponed her journey.*

Habríamos tenido que cerrar la planta. *We would have had to close the plant.*

Habríais reducido el personal. *You would have cut back on staff.*

Compare this with the future perfect in Unit 7, page 84.

The conditional perfect is used in the context of talking about what might have been, could have been, or should have been.

3 Conditions contrary to fact

Si me **hubiesen/hubieran informado** yo **habría aplazado** mi viaje. *If they had informed me I would have postponed my trip.*

Si me **hubiesen/hubieran informado** yo **hubiera aplazado** mi viaje. *If they had informed me I would have postponed my trip.*

Si nos **hubiese/hubiera** escrito le **habríamos reservado** una habitación. *If he had written to us we would have reserved him a room.*

Si nos **hubiese/hubiera** escrito le **hubiéramos reservado** una habitación. *If he had written to us we would have reserved him a room.*

Notice that the second part of these phrases can be in the conditional or subjunctive form, **habría** or **hubiera**.

4 The future of probability

The future can be used to enquire into how probable or likely something is:

Como algunos de ustedes ya **sabrán**, mi estancia en Caracas no fue muy provechosa. *As some of you will already know, my stay in Caracas was not very positive.*

¿Qué hora **será?**	*I wonder what time it is?*
Supongo que **serán** alrededor de las seis.	*I suppose it must be around six.*
¿Dónde **estarán** en este momento?	*Where can they be now?*

See also Unit 7, pages 83–4 for more on the future.

5 Verb + preposition

Notice that certain verbs are followed by a particular preposition:

Depender de: Continuaremos **dependiendo del** Medio Oriente.
We shall continue to depend on the Middle East.

Gozar de: Desaparecerá la protección **de que ha gozado** la industria hasta ahora.
The protection that industry has enjoyed till now will disappear.

The verb's meaning can also change according to which preposition is used: **acabar con** – *to put an end to*; **acabar de** – *to have just* (done something); **acabar por** – *to end up* (by doing something).

Consolidación 3

(Unidades 9–12)

1 Reading

A friend of yours needs to send a fax to London during a visit to Palma de Mallorca. So you go to the post office and collect this form:

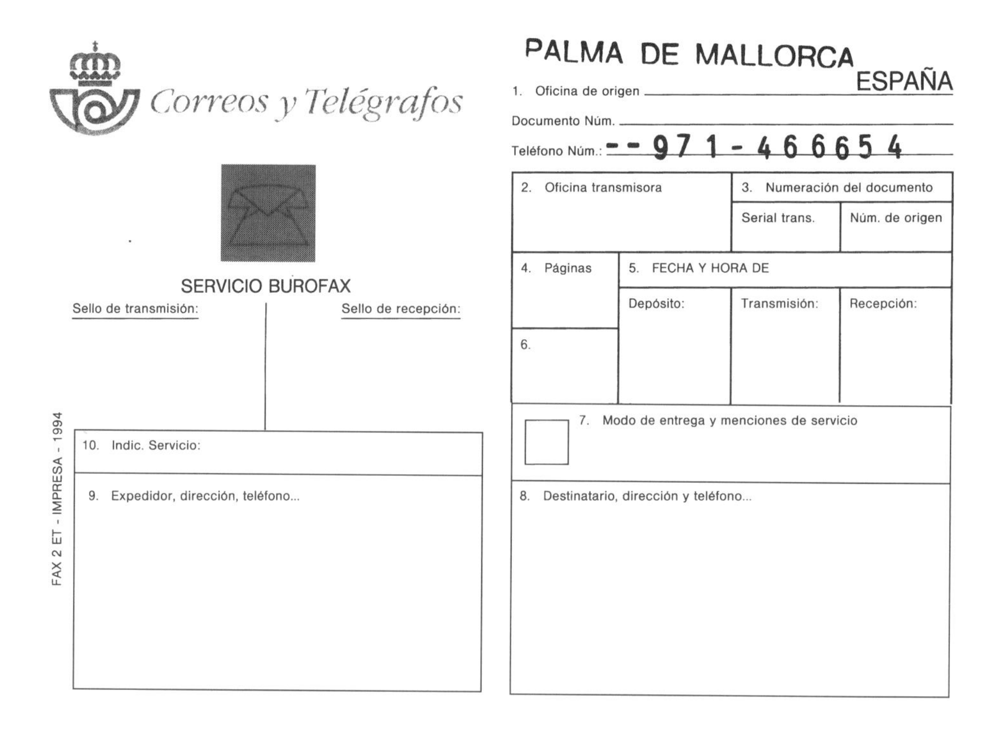

Correos y Telégrafos

PALMA DE MALLORCA
ESPAÑA

1. Oficina de origen
Documento Núm.
Teléfono Núm.: --971-466654

SERVICIO BUROFAX
Sello de transmisión: Sello de recepción:

2. Oficina transmisora
3. Numeración del documento
Serial trans. Núm. de origen
4. Páginas
5. FECHA Y HORA DE
Depósito: Transmisión: Recepción:
6.
7. Modo de entrega y menciones de servicio
8. Destinatario, dirección y teléfono...
10. Indic. Servicio:
9. Expedidor, dirección, teléfono...

FAX 2 ET - IMPRESA - 1994

INSTRUCCIONES PARA CUBRIR ESTE IMPRESO:

El usuario sólo debe escribir en las casillas azules, correspondientes a los siguientes números:

7. Si esta casilla se deja en blanco, la oficina de destino, conforme a la información de la casilla 8, procederá como si se tratase de un telegrama ordinario en cuanto al envío al destinatario.
8. Es importantísimo la máxima claridad en la dirección completa del destinatario, de forma que no sean precisas indagaciones complementarias para la entrega.
9. Si por razones personales, no desea que le llegue al destinatario toda la información del remitente, utilice la casilla 9 bis, cuyos datos únicamente utilizaremos para dirigirnos a usted en caso de no entrega o incidencia.

(a) Explain what instructions 7, 8 and 9 say.
(b) Explain how to fill in the form for a fax. (The blue boxes referred to are nos. 7–10 on the bottom half of the form.)

2 Reading

The following passage on graphology appeared in a Spanish magazine. Study the text and answer the questions in Spanish:

USOS DE LA GRAFOLOGIA EN LA INDUSTRIA

Desde que en la década de los treinta en Estados Unidos se empezó a utilizar a los grafólogos para la selección de personal, la grafología comenzó a salir de los departamentos policiales y a insinuarse tímidamente en el mundo empresarial y científico. Hoy día son raras las empresas de los cinco continentes que no emplean los servicios de estos expertos. El director de personal de una importante empresa de Madrid afirma: "Nuestra empresa fue de las primeras en utilizar a grafólogos, hará unos quince años. Ahora mismo sé de muchas que hacen lo mismo que nosotros y con resultados óptimos."

"No sólo empleamos a los grafólogos cuando necesitamos nuevos empleados – opina el director de personal – sino también para remodelar nuestras plantillas. Hemos sabido, gracias a estos expertos, que mucho abstencionismo laboral se debía a que teníamos a empleados en lugares inapropiados para ellos, y en los que estaban a disgusto. Estos hombres, después de cambiar de puesto de trabajo, han aumentado en rendimiento y han disminuido sus propias tensiones y frustraciones."

Juegue con su letra

Mire cómo escribe y después intente ver a qué apartado pertenece su letra. No intente hacer un análisis de su carácter con sólo estos datos. La cosa es mucho más complicada y científica, pero esto le puede servir como botón de muestra . . . y como juego.

A

Escritura inclinada hacia la izquierda

Usted es prudente y sabe controlar sus impulsos, pero también tiene miedo. es tímido y un poco inseguro. No sería nada raro que viviera una frustración afectiva.

B

Escritura inclinada hacia la derecha

Nada, es usted un extrovertido y le gusta hacer amigos, pero ándese con ojo, también es usted irreflexivo, agresivo y refleja una cierta inmadurez afectiva.

C

Escritura descendente

Es usted un pesimista o está enfermo, pero tampoco se preocupe demasiado. Puede ser pasajero.

D

Escritura ascendente

La ambición le domina. Es usted entusiasta y con fe en sí mismo. El optimismo le acompaña, y posee cierta facilidad para evadirse de la realidad y soñar.

E

Escritura débil

Es usted un idealista, con pocos contactos con la realidad; es espiritual, delicado de sentimientos y sensible.

F

Escritura marcada

Propia de los vitalistas y realistas. El mundo le entra por los sentidos. Tiene usted fuerza y puede que sea artista y un poco bruto.

(*Cambio 16*, Nº. 532)

(*a*) ¿Qué ventajas o desventajas ve en la aplicación de la grafología en la industria?
(*b*) ¿Lo considera peligroso?
(*c*) ¿Cree usted que podría conducir a malas interpretaciones?
(*d*) ¿De qué manera cree usted que se podría utilizar?
(*e*) ¿Qué factores habría que tener en cuenta si se utilizara la grafología en la contratación de nuevo personal?

3 Sustained speaking

Prepare a brief talk based on the article above. Consider the advantages and disadvantages of using graphology in industry, possible dangers and misinterpretations. The words and phrases in the box will be useful.

creo que/pienso que/opino que/en mi opinión/a mi juicio/a mi modo de ver/personalmente/desde una perspectiva personal
analizar/hacer un análisis/revelar
el aspecto psicológico/científico/objetivo/subjetivo

4 Writing

Your firm is planning to set up an office in Madrid. You have seen the following advertisements and need to send some faxes off asking for further information. Say that your firm is interested in renting an office in Madrid. You have seen the advertisement in the paper and you would like more information as to the types of office they have available. Could they please send details about size, location and cost, and could they please fax back as soon as possible.

OFICINAS EN ALQUILER
EN GLORIETA
CUATRO CAMINOS, 6 y 7
de 50 a 200 m²
Aptas para despachos profesionales
Precios interesantes.
Sr. del Rio. - 411 02 11

LOCALES EN ALQUILER
Junto a la tienda de muebles más grande de Madrid
DESDE 60 m²
APTOS PARA OFICINAS, TALLERES ARTESANOS, TIENDAS DE TODO TIPO, ETC.
Verlos en Pº Pontones, 29 (Expomueble)
Teléfono 474 93 00

LOCAL OFICINAS
Paseo de La Habana, 202 bis
450 m². Extraordinario Instalado
OCASION
Facilidades. Propietario
Tel. 232 81 10. Ext 302

5 Translation

You are working on a project concerning energy conservation; a colleague passes you the following item from the Spanish press. Translate it into English:

USO MAS EFICIENTE DE LA ENERGIA EN EL HOGAR

Las casas se usan durante muchos años – como promedio entre 25 y 80. Por eso se hace necesaria la aplicación a los edificios existentes de técnicas que ahorren energía. Aun cuando estas modificaciones hechas a las construcciones ya en uso redujeran el consumo energético, los ahorros de energía para el año 2000 sólo serían de la mitad de los que podrían finalmente obtenerse. Esto se debería al ritmo lento de reemplazo de los edificios existentes y el índice relativamente bajo de construcción de otros nuevos. De modo que las modificaciones hechas a las construcciones ya en uso son valiosas; pero la introducción de reglamentaciones sobre el diseño de edificios nuevos, que incorpore características que ahorren energía (lo cual es mucho más barato que las modificaciones), es prioritaria para que las economías comiencen lo antes posible.

6 Listening comprehension 

In a radio broadcast from Mexico City a commentator discusses the adaptation of the media in the USA to the needs of the Spanish-speaking community, which now runs into millions.

A Fill in the table below with the information from the commentary:

1 Number of Spanish speakers in the USA

2 Potential consumer market among Spanish speakers

3 Average number of hours a Spanish speaker spends every week:
(*a*) watching TV ____________ (*b*) listening to the radio ____________
(*c*) reading ____________

4 Year in which the first Hispanic TV channel was set up

5 Total number of Hispanic
(*a*) TV channels ____________ (*b*) newspapers ____________
(*c*) magazines ____________ (*d*) radio stations ____________

B Answer in Spanish

(*a*) ¿Qué población tiene el área metropolitana de Los Angeles?
(*b*) ¿Qué población hispana podría tener Los Angeles en el año 2000?
(*c*) ¿Qué país europeo colonizó Colorado, California y Tejas entre 1540 y 1821?
(*d*) ¿Entre qué años controló México estos territorios?
(*e*) ¿Qué sucedió después?

7 Speaking

You are on holiday and want to find out about excursions. Make up a dialogue based on the following information:

EXCURSIONES – PROGRAMA

Vuelta por la isla. (Un día completo)

	Adultos	6.500 ptas
	Niños	3.300
	Niños menores de 8 años	gratis

Salida a las 10 a.m. todos los días excepto los domingos.
Vuelta a las 6 p.m. (aproximadamente).

☆ ☆ ☆

Lugares históricos y pre-históricos

El tour comprende visitas a las ruinas romanas (s. II d.C.) y al poblado pre-histórico de Piedras Viejas de la época neolítica.

☆ ☆ ☆

Visita a las cuevas (medio día)

Salida a las 10 a.m. y 2 p.m.	*Adultos*	3.440
De lunes a viernes	*Niños*	1.720

(No recomendable para los niños menores de 3 años)

☆ ☆ ☆

Jardines botánicos

No hay excursión en autocar. Se puede tomar el autobús 79 enfrente del hotel. (Pasa cada 15 minutos.)

☆ ☆ ☆

Museo de Arte Contemporáneo

C/. Antonio Maura 6. Tel. 54 23 89.
Horario: martes, miércoles, jueves y viernes de 18 a 21h.

☆ ☆ ☆

Convento carmelita (s. XVI)

Visitas concertadas. Telf. 398 54 79.

8 Speaking

Some friends of yours are complaining about the amount of television that their children watch. You have just seen this article in the paper about a new rating system for Spanish TV. Tell them what it is about:

Televisión Española ha decidido lanzar un código de identificación de películas que informa al telespectador de las franjas de edad para quienes ver largometrajes de diferentes tipos no es recomendable. Este código va especialmente destinado a los padres de familia, para facilitar el control sobre los programas que los hijos ven en la pantalla del televisor. En los últimos años, las crecientes presiones de grupos y asociaciones de telespectadores, preocupados por la desprotección de la familia ante los contenidos de los programas televisivos, han aconsejado a TVE diseñar este código.

Así, TVE establece cinco categorías de películas. Una, identificada con la abreviación TP es la de las películas que pueden ser vistas por todos los públicos, sin distinción de edades. Otras cuatro categorías clasifican los programas de acuerdo con la edad del televidente (ver gráfico adjunto).

Estos elementos gráficos se verán en una banda vertical a la izquierda de la pantalla, insertados durante los títulos de crédito iniciales de la película.

(Adaptación de **La Vanguardia**)

Transcripts of Listening Comprehensions (Ejercicios de comprensión), Interpreting exercises (Ejercicios de interpretación) and Interviews (Entrevistas)

Unidad 1: Ejercicio de comprensión

Pablo Picasso nació en Málaga en el año 1881. Picasso realizó sus estudios de arte en La Coruña, Barcelona y Madrid. Más tarde vivió en París donde conoció a los pintores más importantes de la época.

La obra artística de Picasso, de acuerdo con sus características, se puede dividir en varios períodos: 'la época azul', 'la época rosa', 'el cubismo' y 'el surrealismo', que culminó en el año 1930.

En el año 1937 Picasso pintó el famoso mural Guernica que simboliza la destrucción del pueblo vasco de Guernica en un bombardeo aéreo efectuado por fuerzas alemanas durante la guerra civil española. El Guernica marcó el comienzo de un estilo más personal que continuó evolucionando hasta su muerte en el Sur de Francia, en el año 1973, a la edad de 92 años.

Unidad 2: Ejercicio de comprensión

Radio España.
Son las seis de la tarde, las cinco en Canarias.
Noticias en Radio España.

Informa el Instituto Nacional de Estadística que el índice de precios al consumo aumentó en un 5 por ciento durante el pasado año. El mayor aumento se produjo en el área de la salud, con un 0,6 por ciento y en el sector alimentación, bebidas y tabaco, con un 0,4 por ciento.

Hoy llegó en visita oficial a nuestro país el Ministro de Industria y Comercio de la República de Venezuela. El visitante extranjero, que permanecerá cinco días en Madrid, fue recibido en el aeropuerto de Barajas por su colega español.

La Universidad de Salamanca anunció que la fecha de comienzo de sus próximos cursos de verano será el 15 de julio. En ellos participarán destacados académicos españoles y extranjeros.

Finalizó ayer el conflicto laboral que afectaba al sector de la salud. Los trabajadores se reintegraron a sus labores después de aceptar un aumento salarial del 6 por ciento. El Ministerio de Sanidad informó que todos los hospitales, ambulatorios y demás servicios funcionan normalmente.

La organización de países productores de petróleo reunida en Ginebra acordó por decisión unánime aumentar la producción de petróleo y mantener los precios actuales.

Un fuerte movimiento sísmico se produjo a las 10 de la mañana de ayer, hora local, en la región sur del Perú y norte de Chile. El temblor, que causó pánico en la población, sólo produjo daños materiales.

Según informaciones oficiales, los capitales españoles en Latinoamérica aumentaron considerablemente durante los últimos doce meses. Las mayores inversiones fueron en el sector industrial y favorecieron principalmente a México, Chile y el Brasil.

Y hasta aquí las últimas noticias en Radio España. A las 7 en punto de la tarde volveremos de nuevo con ustedes.

Unidad 3: Ejercicio de interpretación

Empleada ¿En qué puedo servirle?
Extranjero I lost a briefcase last night and I would like to know if it's here.
Empleada ¿Dónde perdió usted el maletín?
Extranjero I left it in a taxi.
Empleada ¿De qué color era?
Extranjero It was a brown, leather briefcase.
Empleada ¿Tenía alguna característica especial?
Extranjero It had my initials, J.G. on the outside.
Empleada ¿Qué llevaba usted dentro?
Extranjero I had my passport and other documents.
Empleada ¿Llevaba usted dinero?
Extranjero I was carrying some traveller's cheques but I didn't have any cash in it.
Empleada Aquí tenemos un maletín, pero desgraciadamente no es el suyo. Lo siento mucho.
Extranjero Can you telephone me at my hotel if it appears?
Empleada Naturalmente. Si aparece se lo comunicaremos inmediatamente. ¿En qué hotel está usted?
Extranjero I'm staying at the Hotel San Martín. The telephone number is 731 20 59.
Empleada ¿Y su nombre, por favor?
Extranjero My name is John Garrow and I'm in room 510.

Unidad 3: Ejercicio de comprensión

Empleada Viajes Baleares. ¿Dígame?
Cliente Buenos días. Quisiera cambiar una reserva que tengo para Londres para otra fecha.
Empleada ¿A qué nombre está la reserva?
Cliente A nombre de Joaquín Peralta.
Empleada ¿Y para qué fecha era, señor Peralta?
Cliente Para el 16 de marzo.
Empleada ¿Era de ida o de ida y vuelta?
Cliente Era de ida y vuelta.
Empleada ¿Para qué día quiere cambiarla?
Cliente Para el 20 de marzo si es posible.
Empleada ¿Quiere cambiar la fecha de regreso también?
Cliente No, solamente la fecha de salida.
Empleada Un momento, por favor. Voy a ver si hay plazas.
Cliente Gracias.
Empleada ¿Oiga? Tenemos una plaza para un vuelo que sale a las 8 de la mañana.
Cliente Sí, sí está bien.
Empleada Bueno, si usted pasa por nuestra oficina podemos extenderle un nuevo billete.
Cliente De acuerdo. Muchas gracias. Adiós.
Empleada De nada. Adiós.

....

Cliente Buenos días. Quiero hacer una reclamación.
Empleada Sí, ¿de qué se trata?
Cliente El 28 de febrero pasado hice una reserva aquí para el Hotel Acrópolis en Atenas. De acuerdo con la información de su folleto todas las habitaciones eran exteriores y tenían balcón. Pues, al llegar al hotel me encontré con que mi habitación era interior y sin balcón. Además estaba en el cuarto piso y el ascensor no funcionaba.
Empleada ¿Hizo usted la reclamación en el hotel?
Cliente Sí, la hice inmediatamente, pero me dijeron que no tenían otra habitación disponible, que no podían hacer absolutamente nada y que tenía que presentar la reclamación al volver a España. Usted comprenderá, yo pagué por una habitación exterior y quiero que me reembolsen la diferencia.

Empleada Mire, lo siento, pero en este momento no podemos hacer nada porque el gerente no está, pero si usted me deja su nombre y número de teléfono podemos llamarle cuando llegue.
Cliente Mi nombre es Julia Dávila y el número de teléfono de mi oficina es el 618 43 97.
Empleada De acuerdo, señora. Ya la llamaremos.
Cliente Adiós.
Empleada Adiós.

Unidad 4: Ejercicio de comprensión

Cliente Buenos días. ¿Puede decirme qué documentos necesito para ir a Venezuela?
Angela Un momento, por favor. ¿Usted va en viaje de negocios o por turismo?
Cliente Por turismo.
Angela Bueno, en ese caso tiene que tener su pasaporte en regla y con el pasaporte debe ir al Consulado de Venezuela para obtener una tarjeta de turista. También hace falta tener un billete de ida y vuelta.
Cliente ¿Tiene usted alguna información sobre restricciones de Aduana?
Angela Los reglamentos de Aduana en Venezuela se atienen a las normas internacionales turísticas. Estoy segura de que no va a tener ningún problema al respecto.
Cliente ¿Existe alguna restricción en cuanto a la cantidad de dinero que está permitido llevar o sacar del país?
Angela No, en realidad no existe ninguna restricción en cuanto a las divisas que puede importar. Ahora, con respecto a la cantidad de dinero que puede sacar del país, no lo sé, pero me parece que hay ciertas limitaciones. Es mejor que lo averigüe en el Consulado mismo.
Cliente ¿Sabe usted a cómo está el cambio del bolívar?
Angela No tenemos ese tipo de información aquí, ya que el cambio está fluctuando constantemente. En la esquina hay un banco donde pueden informarle.
Cliente Muchas gracias. Adiós.
Angela Adiós. Buenos días.

Consolidación 1: Ejercicio de interpretación

Redactor Señor Ruiz, I'm writing an article about your company and as you are now the general manager, I hope you don't mind if I ask you a few questions about your career.
Ejecutivo Sí, cómo no. Con mucho gusto responderé a sus preguntas.
Redactor How old were you when you joined the company and which department did you start in?
Ejecutivo Me inicié en la Sección de Secretaría. Yo recién había dejado el colegio y sólo tenía dieciocho años.
Redactor What exactly did you do when you first started? Did you have to do any training?
Ejecutivo Bueno, al principio tuve que aprender mecanografía, taquigrafía y también inglés. Después de seis meses de entrenamiento pasé a trabajar como secretario del Gerente General de la División.
Redactor Did you enjoy the work you were doing? Some people would say secretarial work can be rather monotonous.
Ejecutivo No, a mí me gustaba muchísimo lo que hacía. Cada día aprendía algo nuevo. Era una forma de adquirir experiencia para después desarrollar otras actividades dentro de la misma compañía.
Redactor I understand you then spent some time in several other divisions. Could you tell me something about it?
Ejecutivo Después de un año con el Gerente General de la División, me transfirieron al departamento de Aviación y en los años siguientes me entrené en algunos de los diferentes departamentos de la empresa.
Redactor When you joined the Personnel Department, did you ever think you would become general manager?
Ejecutivo No, nunca lo pensé. Yo comencé como Coordinador de Personal, luego me transfirieron a la Administración de Personal y después de un año fui asignado a la sede internacional de nuestra compañía que está en Londres.
Redactor How long were you in London and what did you do when you went back to the company in Mexico?
Ejecutivo Estuve tres años en Londres y al regresar a México me asignaron nuevamente a la Administración de Personal y seis años más tarde me seleccionaron para ocupar el cargo de Gerente General de la empresa en mi país.
Redactor Can you tell me what your plans are for the future?
Ejecutivo A fines de este año espero retirarme, pero seguiré desarrollando algunas actividades dentro de la empresa hasta que mi estado físico me lo permita.

Unidad 5: Ejercicio de interpretación

Funcionario Good afternoon. How long do you want to stay in this country?
Ramón Quiero estar aquí un año. He venido a estudiar inglés.
Funcionario Have you registered at a school already?
Ramón Sí, me he matriculado en un curso de inglés en la Central School of English que comienza la próxima semana.
Funcionario Have you paid for the course?
Ramón He enviado un depósito para reservar una plaza en el curso y he traído el resto del dinero. Aquí está el recibo.
Funcionario Have you got a return ticket to Mexico?
Ramón Sí, he comprado un billete de ida y vuelta.
Funcionario May I see your return ticket please?
Ramón Aquí está.
Funcionario Fine. Where are you going to stay?
Ramón No lo sé todavía. No he reservado alojamiento, pero espero quedarme en algún hotel hasta encontrar una habitación en casa de alguna familia.
Funcionario Have you brought enough money with you?
Ramón He traído cincuenta mil pesos y además mis padres me van a enviar dinero regularmente cada mes.
Funcionario Fine. I'm going to give you an entry permit as a student for one year.

Unidad 5: Ejercicio de comprensión

Ecuador
Un avión de Líneas Aéreas Andinas con 120 personas a bordo se estrelló ayer momentos después de haber despegado del Aeropuerto Internacional de Quito. Hasta ahora se ignoran las

causas del accidente en el que no ha habido sobrevivientes.
Filipinas
En su reciente visita a Manila Su Santidad el Papa se ha referido nuevamente al tema de la familia y a la necesidad de velar por la conservación de los valores tradicionales de la comunidad cristiana.
Estados Unidos
El Jefe de Estado norteamericano ha pedido al Congreso que se incremente la ayuda económica y militar a Centroamérica. Algunos representantes han manifestado al Presidente que dicha ayuda debe estar supeditada al respeto de los derechos humanos por parte de los gobiernos de los distintos países que integran la región.
Colombia
En la capital colombiana ha tenido lugar una reunión especial de la Organización de Estados Americanos a fin de buscar una solución al conflicto fronterizo que afecta al Perú y al Ecuador. Representantes de estos dos países han expresado su deseo de llegar a un acuerdo que permita reanudar las negociaciones que venían realizándose desde hace algún tiempo y que fueron interrumpidas con motivo de un enfrentamiento entre tropas peruanas y ecuatorianas que guardaban la frontera.
Brasil
En la tarde de hoy se ha disputado un partido de fútbol entre la selección brasileña y la selección mexicana. Ha resultado vencedor el equipo brasileño, que ganó a nuestra selección por tres goles a uno.
Hasta aquí las noticias internacionales.

Unidad 6: Ejercicio de interpretación

Huésped I'd like to make a complaint about the room you have given me.
Recepcionista ¿De qué se trata?
Huésped The room is too noisy and my wife and I can't sleep at night.
Recepcionista Lo siento mucho, señor, pero ustedes me pidieron una habitación a la calle.
Huésped Don't you have another room?
Recepcionista Puedo darles una habitación interior si ustedes gustan, pero es más pequeña.
Huésped That's all right. We don't want to stay where we are now. Can we move into the other room today?
Recepcionista En este momento están limpiándola, pero si vuelve usted dentro de una hora puedo darle la llave.
Huésped That's fine. We can collect the key after breakfast.
Recepcionista ¿Cuál es el número de la habitación donde están ahora?
Huésped We are in room 450.
Recepcionista Pues, voy a darles la habitación 640, en el sexto piso.
Huésped Can you send a porter to help us move the luggage?
Recepcionista Sí. No se preocupe usted.

Unidad 6: Ejercicio de comprensión

1 **Señora** Oiga.
Camarero Sí, señora, dígame.
Señora Yo le he pedido sopa de pescado y me ha traído sopa de tomate.
Camarero Perdone usted. Se la cambio en seguida.

2 **Señor** Buenas tardes. ¿Está el señor García?
Señora No, aquí no vive ningún García.
Señor Ah, perdone la molestia.
Señora Pregúntele usted al portero que vive en la planta baja. Él le puede indicar el número del apartamento.
Señor Gracias.

3 **Tendero** ¿Algo más?
Señorita Nada más, gracias. ¿Cuánto es?
Tendero Son quinientas ochenta y cinco pesetas.
Señorita Aquí tiene usted.
Tendero Su cambio. Trescientas quince pesetas.
Señorita Pero yo le he pagado con un billete de mil pesetas.
Tendero Tiene usted razón. Perdone la equivocación. Aquí tiene cien pesetas más.
Señorita Adiós.
Tendero Gracias. Adiós.

4 **Paciente** Buenos días. Tengo cita con el doctor a las 9.30.
Recepcionista ¿Cómo se llama?
Paciente Julia Romero.
Recepcionista Usted se ha equivocado señora Romero. Usted tiene cita a las 10.30 y no a las 9.30. A las 9.30 viene otra paciente, la señora Flores. ¿Quiere usted esperar?
Paciente No, prefiero volver más tarde.

Unidad 7: Ejercicio de interpretación

Entrevistador Do many people spend their holidays abroad now?
Funcionario Sí, el número de personas que pasa sus vacaciones en el extranjero ha aumentado considerablemente en los últimos años.
Entrevistador Do you think this will continue in the future?
Funcionario Creo que el turismo internacional español experimentará un fuerte aumento hasta triplicarse en el año 2000.
Entrevistador Why do you say that?
Funcionario Digo esto porque aumentará el tiempo de ocio y mejorará el nivel de vida de los españoles.
Entrevistador Will Spaniards travel more to other European countries?
Funcionario Sí, yo pienso que habrá más interés en conocer el resto de Europa, pero también aumentará el turismo hacia lugares menos tradicionales.
Entrevistador Which countries, for example?
Funcionario Particularmente hacia la América Latina. Países como el Perú, el Brasil y México verán llegar un número cada vez mayor de turistas españoles.

Unidad 7: Ejercicio de comprensión

Entrevistadora ¿Qué piensa usted sobre la actual crisis económica que vive el país?
Político Pues, nuestro país afronta graves problemas económicos, pero creo que es necesario señalar que no nos encontramos ante una catástrofe.
Entrevistadora ¿Qué cree usted que debería hacer el gobierno para resolver la crisis?
Político Primero que nada, tendrá que haber un clima de confianza que estimule las inversiones y la producción. Será necesario impulsar la industria y las exportaciones y el campo deberá producir más.
Entrevistadora Se dice que muchos de los problemas del país se derivan de la mala

administración por parte de los gobiernos anteriores. ¿Qué opina usted sobre esto?
Político Nuestro gobierno es consciente de la situación y por eso actuaremos enérgicamente para terminar con la ineficiencia y la corrupción administrativa. Sin una administración eficiente no puede haber progreso.
Entrevistadora Durante la última campaña política se hablaba a menudo de la necesidad de mayor austeridad. ¿Podría dar algunos ejemplos concretos?
Político Creo que hay muchas posibilidades de racionalización, particularmente en el sector administrativo, al que me refería anteriormente. Para ello habrá que hacer ciertos sacrificios, pues sin un espíritu de cooperación y solidaridad nacional no podremos realizar nuestro programa.
Los fondos estatales deberán concentrarse en aquellos sectores que nos permitan aumentar la productividad y nuestra competitividad en el comercio exterior frente a otros países.

Unidad 8: Ejercicio de comprensión

Sr. García Isabel, ¿quiere venir un momento a mi despacho, por favor?
Isabel Sí, voy en seguida.
Sr. García Mire, llame por teléfono al Hotel Cervantes y reserve una habitación doble a nombre del señor y la señora Hernández de Bogotá. Llegan el sábado a Madrid y van a quedarse una semana. Una vez que esté confirmada la reserva envíele un fax al señor Hernández diciéndole que la reserva está hecha. Dele el nombre y la dirección del hotel.
Isabel ¿Tiene usted la dirección del señor Hernández en Bogotá?
Sr. García Sí, aquí está. Calle General Ramírez, 312, apartamento A.
Isabel Calle General Ramírez, ¿312 me ha dicho?
Sr. García Sí, 312, apartamento A.
Isabel De acuerdo. Llamaré al hotel inmediatamente.
Sr. García Y después por favor llame al banco y pídales un nuevo talonario de cheques y el estado de mi cuenta. ¿Ha llegado el pedido que hicimos a Hamburgo?
Isabel No, todavía no lo hemos recibido.
Sr. García Bueno, en ese caso escríbale al señor Goldschmidt que es el encargado de ventas y dígale que necesitamos las mercancías urgentemente, que no podemos esperar más.
Isabel Ah, y responda la carta que nos envió la firma Jackson de Nueva York y mándeles una lista de los precios que nos solicitan.
Sr. García La fotocopiadora no funciona ¿verdad?
Isabel No, y hay varios documentos que necesito fotocopiar. ¿Quiere que llame al técnico?
Sr. García Sí, pídale que venga si es posible esta misma mañana.
Isabel ¿Algo más?
Sr. García Mire, vaya al Departamento de Finanzas y entréguele esta carta personalmente a la señora Figueroa. Eso es todo.

Consolidación 2: Entrevista

Pregunta ¿Qué política adoptará el gobierno en cuanto a comercio exterior?
Respuesta Bueno, lo primero será dar un mayor incentivo a las exportaciones, mediante un tipo de interés preferencial. Para ello será necesario reformar el Banco exterior y lograr una mayor participación de la Banca Privada.
Pregunta ¿Existe algún plan concreto de promoción comercial en el exterior?
Respuesta Desde luego. Nuestro gobierno modernizará la red exterior de oficinas comerciales mejorando sus niveles de información. En esto es imprescindible que haya una estrecha colaboración entre los sectores públicos y privados.
Pregunta ¿Qué papel jugarán la pequeña y mediana empresa en el área de las exportaciones?
Respuesta La pequeña y mediana empresa serán fundamentales en la exportación. La labor de promoción, realizada por el gobierno estará orientada principalmente a ayudar a este sector.

Unidad 9: Ejercicio de interpretación

Agente ¿Qué desea señor?
Cliente I want to rent an apartment in Fuengirola. Have you got any at the moment?
Agente ¿Para cuánto tiempo lo quiere?
Cliente For two months, from the 1st of July to the end of September.
Agente ¿Qué tipo de apartamento busca usted?
Cliente Well, it's got to be near the beach.
Agente ¿Quiere usted un apartamento grande o pequeño?
Cliente There are three of us, my wife, my son and myself, so I need one with two bedrooms.
Agente Creo que tengo lo que usted busca. Aquí tenemos uno que está a dos minutos de la playa y que tiene dos dormitorios precisamente.
Cliente What other rooms has it got?
Agente Además tiene un salón-comedor bastante grande, y la cocina y el cuarto de baño naturalmente.
Cliente How much is the rent per month?
Agente Ciento veinte mil pesetas al mes. Es un apartamento muy bonito y muy cómodo. Estoy seguro de que le gustará.
Cliente When can I see it?
Agente Cuando usted quiera, pero le sugiero que vaya a verlo lo antes posible.
Cliente I'd like to see it tomorrow morning about 10.00. Is that possible?
Agente Sí, desde luego. Pase usted mañana por aquí a las 10 menos cuarto y le llevaré yo misma en mi coche.
Cliente Thank you very much. I'll be back tomorrow before 10.00.

Unidad 9: Ejercicio de comprensión

Locutor Buenos días.
Radio España da comienzo a un nuevo programa de la serie 'De Vacaciones'. En nuestra edición de hoy hablaremos primeramente sobre las vacaciones en casas de labranza. Para ello hemos invitado a Julia Fernández, Jefa de la Oficina de Información y Turismo de Almería, quien nos dará algunas sugerencias.
Julia Fernández ¡Hola! Buenos días. Aunque parezca increíble, todavía hay pueblos en la Costa del Sol donde pasar las vacaciones lejos de las urbanizaciones turísticas y el mundanal ruido. Balerma es uno de ellos.

Balerma está situada en el municipio de Dalias, a 40 km. de Almería y 26 de Berja, junto a extensas playas. Es un sitio ideal para los aficionados a la pesca submarina, en especial la bahía de Viejas Guardias, a sólo 5 km. del pueblo.

En el pueblo de Balerma hay 20 plazas distribuidas en ocho casas campesinas donde los precios son sumamente económicos. Se puede tomar pensión completa o sólo la habitación.

Para formalizar reservas y requerir más información pueden ponerse en contacto con el alcalde de Balerma en el teléfono de la parroquia, 40 62 13. Repito: teléfono 40 62 13 de Balerma.

Locutor En la segunda parte de nuestro programa, Julia Fernández dará algunas sugerencias para aquéllos que prefieran el camping.
Julia Fernández Como es de suponer, veranear bajo una tienda de campaña al aire libre es posiblemente uno de los medios más baratos que existe. Para hacer camping hay que contar con un equipo mínimo. Para empezar, la tienda: las más cómodas son las tiendas de tipo canadiense. Las hay desde dos hasta seis u ocho plazas y a distintos precios, según la calidad y el tamaño.

Si las vacaciones van a ser estables, en un camping le puede convenir una tienda tipo 'chalet', con armadura de aluminio y varias habitaciones. Las hay de uno, dos y tres dormitorios. También con porche y cocina.

Además necesitará un saco de dormir, una nevera y un surtido de cosas que van desde una linterna hasta una mesa y sillas. Una posibilidad interesante, si es la primera vez que va de camping y no sabe si le va a gustar, puede alquilar el equipo.
Locutor Y hasta aquí nuestras sugerencias de hoy. Buenos días y felices vacaciones.
(Cambio 16, Nº 391, adapted)

Unidad 10: Ejercicio de comprensión

Cliente Quisiera comprar un despertador. Es para hacer un regalo.
Empleado Tenemos varios modelos de despertadores. Aquí tiene uno alemán especial para viajes. Viene con un estuche de cuero y es bastante liviano. También tenemos este otro más pequeño de cuarzo. Está hecho en Japón y es muy bueno. Se lo recomiendo. Yo tengo uno igual.
Cliente ¿Cómo funciona?
Empleado Sólo necesita una pila pequeña como ésta que va aquí dentro. Le dura un año aproximadamente y no necesita darle cuerda. Además, es muy silencioso.
Cliente ¿Es muy caro?
Empleado No, éstos los tenemos en liquidación en este momento. Están a noventa y nueve pesos.
Cliente Sí, deme uno.
Empleado ¿Quiere que se lo envuelva en papel de regalo?
Cliente Sí, por favor.

Empleada ¿Qué desea?
Cliente Quiero que me muestre una chaqueta como la que tiene en el escaparate. Esa gris de tweed.
Empleada ¿Qué talla?
Cliente Talla cuarenta y dos.
Empleada Aquí tiene una en la talla cuarenta y dos. Es una chaqueta de muy buena calidad y muy elegante. ¿Quiere probársela? Allí tiene un espejo.
Cliente Sí, me queda estupendamente. ¿Cuánto vale?
Empleada Mil doscientos cincuenta pesos.
Cliente Es un poco cara, pero es lo que buscaba. Voy a llevarla.
Empleada ¿Quiere algo más?
Cliente Quisiera una camisa blanca.
Empleada ¿La prefiere de manga larga o de manga corta?
Cliente De manga larga.
Empleada Pues, tenemos éstas de algodón que son muy finas. Nos acaban de llegar.
Cliente Son muy bonitas. ¿Qué precio tienen?
Empleada Éstas cuestan quinientos pesos.
Cliente Bueno, voy a llevar dos de la talla cuarenta y dos.
Empleada Muy bien señor. ¿Desea alguna cosa más?
Cliente No, eso es todo. Gracias.

Unidad 11: Ejercicio de comprensión

Su aspiración Durante dos años no he recibido ni un céntimo más de lo que correspondía según convenio. Creo que ya es hora de que se me reconozca mi productividad en el sueldo.
Respuesta de la Jefa Espere usted a ver cómo se desarrollan esta vez las negociaciones salariales que tendrán lugar en el mes de diciembre.
Su aspiración Durante los últimos dos años he estado preparándome de forma intensiva en un sector especial, y desde entonces estoy desempeñando tareas adicionales. ¿No cree usted que es justo que el año próximo vea justamente remunerado este aumento en mi productividad?
Respuesta de la Jefa Pero nosotros ya hemos pagado los costes de su formación.
Su aspiración Desde hace años, mis colegas ganan más que yo, a pesar de que no es mayor su producción. ¿No cree usted que se me debería dar el mismo trato?
Respuesta de la Jefa Si le pagara a usted más ahora, todo el sistema salarial se confunde, y sus colegas también exigirían un aumento de sueldo.
Su aspiración El año pasado y los dos primeros trimestres de este año he superado ampliamente mis objetivos de ventas. ¿No cree usted que ya sería hora de que se me recompensara con un estimulante aumento de sueldo?
Respuesta de la Jefa Desgraciadamente no puedo darle más. Sólo puedo disponer de un presupuesto salarial limitado. Si ahora tengo que pagarle a usted más, sólo podría ahorrarlo en el sueldo de sus colegas.
Su aspiración Mi departamento ha producido el año pasado unos beneficios inusitados. ¿No cree usted que un aumento de tal categoría en el compromiso con la empresa también precisaría de un fuerte aumento en los ingresos?
Respuesta de la Jefa Pero si usted ya es uno de los directivos mejor pagados de la empresa.
(Actualidad Económica Nº 1275)

Unidad 12: Ejercicio de interpretación

Periodista Many people think that unemployment is going to increase in Spain in the next few years. Do you agree with this view?
Funcionario Sí, estoy de acuerdo. Yo creo que el problema se acentuará. El paro continuará aumentando hasta fines de este siglo.
Periodista Why do you say that?
Funcionario Una razón importante es la alta tasa de natalidad que se registró entre los años 50 y los 60.
Periodista Which areas of the country will be most affected do you think?
Funcionario Creo que los sectores más afectados

serán las zonas urbanas, particularmente Madrid y Barcelona.
Periodista Don't you think that the government could do more to reduce youth unemployment?
Funcionario El gobierno está haciendo un esfuerzo enorme para crear nuevos puestos de trabajo, pero para ello necesitamos la cooperación de los empresarios y de los mismos jóvenes.
Periodista What type of co-operation are you referring to?
Funcionario Sería importante que la industria diera más oportunidad a los jóvenes que buscan trabajo por primera vez.
Periodista But how could they actually do that?
Funcionario Algunas empresas podrían servir como centros de práctica para los jóvenes, ofreciéndoles contratos de trabajo más flexibles.
Periodista Given the present level of unemployment, what would you say to those young people who are thinking of starting a career?
Funcionario Yo les diría que si piensan cursar estudios superiores, sería preferible que optaran por carreras de aplicación práctica.

Unidad 12: Ejercicio de comprensión

Periodista Sra. Martínez, ¿cómo ve usted el futuro de la industria turística mexicana?
Sra. Martínez Creo que para estar en posibilidad de competir será necesario superar la calidad y cantidad de los actuales servicios.
Periodista ¿Cree usted que el gobierno de México ha hecho lo suficiente por la industria turística?
Sra. Martínez A mi parecer el gobierno podría haber hecho mucho más. Si las autoridades hubiesen demostrado más interés por la industria turística, si hubiesen sido menos complacientes, creo que hoy tendríamos una infraestructura turística mucho más competitiva.
Periodista ¿De qué manera podría el gobierno ayudar al desarrollo de esta industria?
Sra. Martínez Bueno, se trata fundamentalmente de un problema económico, de un problema de presupuesto. El actual presupuesto, que representa alrededor del 0.5 por ciento del gasto público, es insuficiente. Para la explotación de nuestras bellezas naturales se requiere personal especializado, se requieren nuevas y modernas instalaciones y ello no es posible sin un presupuesto adecuado.
Periodista ¿Qué importancia tiene la industria hotelera dentro del turismo mexicano?
Sra. Martínez La industria hotelera forma el grupo más importante dentro del turismo mexicano y ocupa uno de los primeros lugares entre todas las actividades económicas del país. Esta actividad ocupa alrededor de 165 mil personas.
Periodista ¿Cree usted que los inversionistas mexicanos se interesan lo suficiente en el futuro de la industria turística?
Sra. Martínez Creo que sí. En muchas partes del país se están creando diversos centros turísticos con categorías muy variadas y existe un gran interés por parte de los inversionistas mexicanos en la creación y equipamiento de esos centros y en sus respectivas instalaciones.
Periodista Sra. Martínez, le agradezco mucho esta entrevista y le deseo mucho éxito en su función.
Sra. Martínez Gracias.

Consolidación 3: Ejercicio de comprensión

Con una audiencia aproximada de quince millones de personas, los medios de comunicación hispanos en los Estados Unidos tienen un mercado potencial entre los consumidores de habla española de unos 40.000 millones de dólares anuales.

Las cadenas de almacenes, marcas de cerveza y otras firmas fueron las primeras en darse cuenta de que su publicidad en inglés no entraba en el mundo de consumo hispano.

Hoy, la Prensa escrita, pero sobre todo la radio y la televisión en español, cuentan con una influencia en neta progresión en Estados Unidos, supliendo en gran medida las restricciones y limitaciones que encuentra a nivel oficial la enseñanza bilingüe. Se calcula que un hispano dedica un promedio de nueve horas y treinta y seis minutos semanales a la televisión, unas siete horas a la radio y otras dos a la lectura.

La primera televisión en español se inauguró en el año 1954; hoy existen trece estaciones de televisión hispanas. Además, hay nueve diarios de información general, veinte revistas y aproximadamente ochenta estaciones de radio.

La ciudad de Los Angeles, con sus siete millones de personas en el área metropolitana, puede tener el 50% de población hispana en el ano 2000. Una población hispana que guarda su tradición y mantiene vínculos familiares, lingüísticos, sociales, y a veces políticos con su patria del Sur, México. El fenómeno no puede ser ignorado por la mayoría angloparlante ni por sus periódicos.

Todo el oeste actual de Estados Unidos, de Colorado a California y hasta Texas, estuvo bajo colonización española durante 281 años, de 1540 a 1821, pasando al control de México de 1821 a 1848, momento en que los norteamericanos vencieron a los mexicanos y ocuparon esos territorios. De ahí que los chicanos o méxico-americanos no aceptan que les llamen extranjeros en tierras del oeste de Estados Unidos.
(El País).

Vocabulary

(SA) indicates Latin American usage.

A

a to, at
abandonar to leave
abogado (*m*) lawyer
abonar to pay
abreviado short, brief
abrir to open
abstencionismo laboral (*m*) absenteeism
abuelo (*m*) grandfather
aceite (*m*) oil
aceite de oliva (*m*) olive oil
aceituna (*f*) olive
acercarse to draw near
acero (*m*) steel
acogedor (*adj*) welcoming
acomodador (*m*) usher
aconsejable advisable
aconsejar to advise
acontecer to happen
acordar to agree
acordarse to remember
acostarse to go to bed
acostumbrarse a to get accustomed to
acta (*f*) minutes, record
actitud (*f*) attitude
actividad (*f*) activity
actual present
actualidad: en la – (*f*) at the present time
actualmente at present, now
actuar to work, to perform, to behave
acuerdo (*m*) agreement
  de acuerdo agreed, that's fine
  de acuerdo a in accordance with
acusar recibo de to acknowledge receipt of
adecuar to adapt, to adjust
además moreover, besides
adiós goodbye
adonde where (to)
adquirir to acquire
aduana (*f*) customs
aeropuerto (*m*) airport
afectado affected
aficionado a fond of
afición (*f*) interest, liking
afluencia (*f*) number, inflow, influx
afueras (*f pl*) outskirts
ágilmente quickly
agradable pleasant
agradecer to thank
agrado (*m*) taste, liking
agravarse to worsen
agregar to add
agrícola agricultural
ahora now
ahora mismo right now
ahorrar to save
ahorro (*m*) saving
aire (*m*) air
  aire acondicionado (*m*) air conditioning
aislar to insulate
alberca (*f*) swimming pool (Méx.)
albergue juvenil (*m*) youth hostel
alcance: estar al – to be within reach
alcanzar to reach, to achieve, to obtain
alegrarse to be pleased, to be happy
alemán (*m*) German
algo something
algodón (*m*) cotton
algún some, any
alimento (*m*) food
alimenticio food
alisios (vientos) (*m pl*) trade winds
allegado near, close
allí there
almacén (*m*) warehouse, store
almacenamiento (*m*) storage
almacenar to store
almorzar to have lunch, to lunch
almuerzo (*m*) lunch
alojamiento (*m*) lodging, accommodation
alquiler (*m*) rent
alrededor de around, about
alto tall
altura (*f*) height
alumno (*m*) pupil, student
ama de casa (*f*) housewife

amabilidad (*f*) kindness
amarillo yellow
ambiental environmental
ambiente (*m*) atmosphere
ambos both
ameritar to deserve
amigo(*m*) friend
amortizar to pay off
ampliar to extend
ampliación (*f*) expansion
amplio large, big, spacious, wide, extensive
amueblado furnished
analfabetismo (*m*) illiteracy
ancho wide
anchura (*f*) width
andén (*m*) platform
anfitrión (*m*) host
antelación (*f*) precedence, priority
antemano: de – beforehand
anterior previous, former
antes before
antes: lo – posible as soon as possible
anticipo (*m*) advance payment
antiguo old, senior, veteran
antipático unpleasant
anulación (*f*) cancellation
anunciar to announce
anuncio (*m*) advertisement
año (*m*) year
Año Nuevo (*m*) New Year
año pasado (*m*) last year
aparcamiento (*m*) parking
aparcar to park
aparecer to appear
aparición: hacer – to appear
apartado de correos (*m*) post-box
apellido (*m*) name, surname, family name
apenas hardly
apertura (*f*) opening
aplazar to postpone, to defer
aplazar a convenios to agree a set time
apoderado (*m*) proxy, representative
apoyar to support
aprobar to approve
aprovechar to make good use of
aquel (*adj*) that
aquél (*pron*) that
aquello (*pron neut*) that
aquí here
arancel (*m*) tariff, duty
argentino Argentinian
árido arid
armamentos (*m pl*) armaments
arreglar to fix, to arrange
arroz (*m*) rice
arquitecto (*m*) architect
artesanía (*f*) handicraft
artículo (*m*) article
artículos de deportes (*m pl*) sports goods
artículos de tocador (*m*) toiletries
asado roast
ascender to promote
ascensor (*m*) lift
aseo (*m*) toilet
asesorar to advise
asiento (*m*) seat
asistir to attend, to be present
asumir to take over
atender to attend to
atento kind, polite
aumentar to increase, to rise
aumento (*m*) increase
aún yet, still, as yet
aun even
aunque although, even though, if
ausencia (*f*) absence
auspiciar to sponsor
autocar (*m*) coach
autopista (*f*) motorway
avanzado advanced
avanzar to advance
avenida (*f*) avenue
avería (*f*) breakdown
averiguar to find out
avión (*m*) airplane
avisar to let know
aviso (*m*) notice
ayer yesterday
ayuda (*f*) aid
ayudante (*m/f*) assistant
ayudar to help
ayuntamiento (*m*) town hall
azafata (*f*) air hostess, guide
azúcar (*m*) sugar
azul blue

B
bachillerato (*m*) Spanish equivalent of GCSE
baile (*m*) dance
bajo short
balanza de pagos (*f*) balance of payments
banco (*m*) bank
bandera (*f*) flag
barato cheap
barba (*f*) beard
barco (*m*) ship
barril (*m*) barrel
barrio (*m*) neighbourhood

bastante quite, enough
beber to drink
Bélgica (*f*) Belgium
bienes de consumo (*m pl*) consumer goods
bilingüe bilingual
billete (*m*) ticket, note
bloc de taquigrafía (*m*) short hand pad
bocadillo (*m*) sandwich
bolígrafo (*m*) ball-point pen
bolso (*m*) handbag, pocket
bomberos (*m pl*) fire brigade
bombilla (*f*) light bulb
bonito pretty, nice
bono (*m*) bonus
bordo: a – on board
borrar to rub out
botones (*m pl*) office boy, bell boy
brindar to offer
británico British
buenas noches good evening, good night
buenas tardes good afternoon
bueno good, well
buenos días good morning
buscar to look for
buzón (*m*) postbox

C

caballo (*m*) horse
caballero (*m*) gentleman
cabeza (*f*) head
cada each, every
cada vez más more and more
caducar to lapse, to expire
caída (*f*) fall
caja (*f*) box, cashier's desk
cajero (*m*) cashier
calcetines (*m pl*) socks
calefacción (*f*) heating
calidad (*f*) quality
calle (*f*) street
calor (*m*) heat
calzado (*m*) footwear
cama (*f*) bed
cambiar to change
cambio (*m*) change
  en cambio on the other hand
camino (*m*) way
camión (*m*) lorry
camisa (*f*) shirt
campesino (*m*) farm worker, labourer
campo (*m*) country, field, stadium
canal (*m*) channel
cantar to sing
cantina (*f*) cafeteria
capaz capable
capital (*m*) capital (commercial)
capital (*f*) capital (city)
cara (*f*) face
carecer to lack
cargo (*m*) job, position, charge
cargo: a – de responsibility of
carne (*f*) meat
carnet (*m*) card
carnet de conducir (*m*) driving licence
caro expensive
carpeta (*f*) file
carrera (*f*) career
carreras (*f pl*) races, racing
carretera (*f*) road
carta (*f*) letter, menu, card
cartera (*f*) briefcase, wallet
casa (*f*) house, home, firm
  en casa at home
casa de cambio (*f*) bureau de change
casado married
casarse to get married
casi almost
castellano (*m*) Spanish (Castilian)
causa (*f*) cause
  a causa de on account of
causar to cause, to create (impression)
cebada (*f*) barley
celebrar to hold, to celebrate
cenar to dine, to have supper
centeno (*m*) rye
centro (*m*) centre
centro de convenciones congress or conference centre
cerca near
cercano near, close
cerdo (*m*) pork
cerrar to close
certificado registered
certificar to register, to certify
chaqueta (*f*) jacket
charla (*f*) talk
charlista (*m/f*) speaker
choque (*m*) crash
chuleta de cerdo (*f*) pork chop
chuleta de cordero (*f*) lamb chop
chuleta de ternera (*f*) veal chop
ciática (f) sciatica
científico (*m*) scientist
cierto true
cierto: en – modo to a certain extent
cifra (*f*) number, quantity, figure
cine (*m*) cinema
cinta (*f*) tape

cita (*f*) appointment
ciudad (*f*) city, town
ciudadano (*m*) citizen
clave (*f*) key
  pieza clave key piece
clima (*m*) climate
cobre (*m*) copper
coche (*m*) car, coach
cocina (*f*) kitchen, cooking, cookery
código (*m*) code
coger to take, to hold
colegio (*m*) school
colina (*f*) hill
colocar to place
coloquio (*m*) conference, talk
comedor (*m*) dining room
comenzar to begin, to start
comer to eat
comestibles (*m pl*) foodstuffs
comida (*f*) meal
comienzo (*m*) beginning
comisionado (*m*) commissioner
como as, how
  cómo no of course
cómodo comfortable
compañía mixta (*f*) mixed company
complace: nos – we are pleased to
componerse to be made up of
comprobante (*m*) receipt
con with
concepto: en – de by way of, as
concertado (*adj*) booked
conducir to drive
conductor (*m*) driver
conferencia (*f*) lecture
confianza (*f*) trust
  es de toda confianza is a reliable person
conforme a consistent with, according to
conjunto joint, group
conocer to know, to meet
conocimiento (*m*) knowledge
conserje (*m*) caretaker
conservar to keep
conquistar to overcome, to conquer
conseguir to get, to obtain
conservas: industria de – (*f*) canning industry
constituir to constitute, to form, to make up
construcción (*f*) building
construir to build
consumo (*m*) consumption
consumo masivo wholesale consumption
contable (*m*) accountant, bookkeeper
contabilidad (*f*) accounting
contar to count, to explain, to relate, to tell
  contar con to rely on, to have
contar: sin – not counting
contenido (*m*) contents, content
contento happy
contestar to answer
contestación (*f*) answer, reply
continuación: a – next
contra against
contratación (*f*) contracting (of staff)
contratiempo (*m*) setback
control de la natalidad (*m*) birth control
controvertido controversial
convertir to make, to turn
convertirse to become
convocatoria (*f*) notice of meeting, summons, call
copa (*f*) drink
corbata (*f*) tie
cordillera (*f*) chain of mountains
corona (*f*) crown
corrección (*f*) courtesy, politeness
correo (*m*) mail
Correos Post Office
correr to run
corrida (*f*) bullfight
corriente current, current month
corte (*m*) kind, nature
cortés courteous
corto short
cosa (*f*) thing
costar to cost
costoso expensive
cotidiano daily
crear to create
crecimiento (*m*) growth
creer to think, to believe
creyente (*m*) believer
cruce (*m*) crossing
cruento bloody, gory
cruzar to cross
cta. (cuenta) (*f*) account
cuádruple quadruple
cual what, which
cualquier any
cuando when
cuanto how much, how many
  cuanto antes as soon as possible
  en cuanto as soon as
  en cuanto a as for, with regard to
cuarto de baño (*m*) bathroom
cubrir to cover, to fill (a job)
cucharada (*f*) spoonful
cucharadilla (*f*) teaspoonful
cucharilla (*f*) teaspoon
cuenta (*f*) account
cuenta corriente (*f*) current account

cuero (*m*) leather
cueva (*f*) cave
cuidado careful
cuidadoso careful
cumplir to fulfil
cursar to study (subject), to take

D
dado given
daño (*m*) damage
dato (*m*) information
dar to give
de from, of, in, about, by
deber must, should, to owe
deberes (*m pl*) duties
deberse a to be due to
debido a due to
decidir to decide
decidirse a to make up one's mind to
decir to say, to tell
  es decir that is to say, or rather
dedicarse a to devote oneself to, to work at or in, to go in for
dejar to leave
dejar de to stop
delante: por – ahead
delgado slim, thin
dentífrico (*m*) toothpaste
dependiente (*m*) store clerk
deportes (*m pl*) sport
derecho right
  derecha (*f*) right (politics)
  a la derecha on the right, to the right
Derecho (*m*) Law
derechos (*m pl*) rights
desaparición (*f*) disappearance
desarrollado developed
desarrollar to develop
desarrollo (*m*) development
desayuno (*m*) breakfast
descansar to rest
desconfianza (*f*) distrust, lack of confidence
desconocer not to know
desconocido unknown, stranger
descuento (*m*) discount
desde since, then, from
desear to wish to want
desempeñar to perform, to hold
desempeñar el puesto to fill, hold the post
deseo (*m*) wish
desgraciadamente unfortunately
designar to designate, to appoint
despachar to despatch, to send, to complete, to settle
despacho (*m*) office
despedir to dismiss, to say goodbye
desplazarse to travel, to move, to shift
después afterwards
después de after
destacar to stand out, to emphasise, to point out
destino (*m*) destination
desventaja (*f*) disadvantage
desviación (*f*) diversion, detour
detalle (*m*) detail
determinante determining
detrás behind
devolver to return, to give back
día (*m*) day
  Día del Trabajo Labour Day
diapositiva (*f*) slide
diariamente daily
diario (*adj*) daily, everyday
diario (*m*) daily paper
dicho said, above mentioned
difícil difficult
dígame hello (telephone)
dinero (*m*) money
dirección (*f*) address
director de personal (*m*) personnel director
dirigirse a to direct, to address, to go
discutir to discuss
diseñar to design
disfrutar to enjoy
disgusto (*m*) annoyance, displeasure, trouble, bother, difficulty
disminución (*f*) drop, fall, decrease
disminuir to diminish, to decrease
disolver to dissolve
disponer to have available
disponible available
disposición (*f*) order
  a su disposición at your service
dispuesto willing
dispuesto (estar – a) to be prepared to, to be willing to
distancia (*f*) distance
distinto different, various
diversión (*f*) amusement
divertido amusing
dividir to divide
doblar to turn, to double
doblarse to double
doble double
doler to hurt, to pain, to ache
dolor (*m*) pain, ache
dolor de cabeza (*m*) headache
dominio (*m*) dominion, land, power, mastery
donde where

dormir to sleep
dormitorio (*m*) bedroom
dosificar to cut down, to ration
ducha (*f*) shower
dudar to doubt
durante during
durar to last
duro hard, strong

E

e and
echar to throw
echar de menos to miss (a person or place)
echar una carta to post a letter
edad (*f*) age
edificio (*m*) building
editorial (*m*) publisher
EE.UU/Estados Unidos USA
efectuar to bring about, to carry out
ejemplar (*m*) copy
ejemplo: por – for example
ejercer to exercise, to practise
ejército (*m*) army
él he, him
el (*m*) the one, the
electrodomésticos (*m pl*) household appliances
elegir to choose
ella she, her
embalar to pack, to wrap up
embarazoso embarrassing, awkward, inconvenient
embargo: sin – however
emigración (*f*) emigration
emigrar to emigrate
emocionante exciting
emperador (*m*) emperor
empezar to begin, to start
empleado (*m*) employee
emplear to employ
empleo (*m*) employment
empresa (*f*) business, firm
en in, at, by, on
encantado how do you do, pleased to meet you
encargado (*adj*) in charge
encargado (*m*) person in charge
encantar to delight, to charm
encarecer to put the price up
encender to turn on
encendido (turned) on
encontrarse to meet, to find, to be situated, to be located
encuesta (*f*) opinion poll, survey
encuestados (*m pl*) those polled
energético (*adj.*) energy
enero January
enfermedad (*f*) illness
enfermera (*f*) nurse
enfermo (*m*) sick person, ill (*adj*)
enfrente de opposite, facing
enfriamiento (*m*) cold, chill
engrase (*m*) lubrication
enmienda (*f*) alteration
ensayer to rehearse
enseñanaza (*f*) education
enseñar to teach
entendimiento (*m*) understanding
enteramente entirely
enterarse de to find out about
entrada (*f*) entrance, entry fee
entrar to enter
entre between
entrega (*f*) delivery
entregar to hand over
entrevista (*f*) interview
enumerar to number
enviar to send
epíteto (*m*) epithet
época (*f*) time, period
equipaje (*m*) luggage
equipo (*m*) outfit, team
equivocación (*f*) error, mistake
escala (*f*) scale
escalera (*f*) staircase
escaso scarce, few, small
escoger to choose
escribir to write
escrito written
escritorio (*m*) desk, bureau, office
escuchar to listen
esfuerzo (*m*) effort
espacio (*m*) space
espejo (*m*) mirror
espejo retrovisor (*m*) driving mirror
esperanza (*f*) hope
esperar to wait, to hope, to expect
espinacas (*f*) spinach
español Spanish
esparcimiento (*m*) recreation
esposa (*f*) wife
esposo (*m*) husband
esquina (*f*) corner
establecer to establish
estación (*f*) station
estacionamiento (*m*) parking
estacionar to park, to place, to station
estado (*m*) state
estado civil (*m*) civil status
estadísticas (*f pl*) statistics

estancia (*f*) stay
estaño (*m*) tin
estar to be
este (*m*) this
esto this (*pron neut*)
estilo (*m*) style
estrato (*m*) stratum
estrecho narrow
estrecho (*m*) strait
estrella (*f*) star
estudiante (*m/f*) student
estudiar to study
estupendo wonderful, marvellous
etapa (*f*) stage, phase
evitar to avoid
exactamente that's right
exigir to demand, to require
existencias (*f pl*) stocks
existir to exist
expedir to issue, to despatch
explicarse to make oneself clear
explotar to exploit, to tap
extender(se) to extend, to spread
extranjero (*m*) foreigner
  al extranjero abroad
extremo far, extreme

F
fábrica (*f*) factory
fabricar to manufacture, to make
fácil easy
facilitar to provide, to facilitate
factura (*f*) invoice, bill
facultad (*f*) faculty
fallar to fail
falta (*f*) lack
  hacer falta (*f*) to be necessary
familiar (*adj*) family
faringitis (*f*) pharyngitis
faro (*m*) lighthouse
fecha (*f*) date
ferrocarril (*m*) railway
ferroviario (*adj*) railway
festivo holiday
ficha (*f*) token
fiebre (*f*) fever
fijar to fix, to arrange
filial (*f*) subsidiary, associated company
filología hispánica (*f*) Spanish-language studies
final (*m*) end
  al final de at the end of
finalidad (*f*) purpose
firma (*f*) firm, company, signature
firmar to sign

flecha (*f*) arrow
fletar to charter
flota (*f*) fleet
fluvial (*adj*) river
folleto (*m*) pamphlet, brochure
fondo (*m*) bottom
  al fondo at the end, at the bottom, in the background
forma (*f*) way, shape, form
formar to form
formulario (*m*) form
francés French
franja (de edad) (*f*) age limit
franquicia (*f*) exemption
frente (*m*) front
  al frente de in charge of
frente a as opposed to
frontera (*f*) border, frontier
fuego (*m*) fire
fuente (*f*) source, fountain, serving dish
fuera de outside
fuera outside, out of
fuerte strong
fuerza (*f*) force
fuerzas armadas (*f pl*) armed forces
fundar to found

G
ganar to earn
garganta (*f*) throat
gárgara (*f*) gargling
gasolina (*f*) petrol
gasto (*m*) cost, expense
gatear to go on all fours, to crawl
gente (*f*) people
gerente (*m*) manager
gestionar to manage, to procure, to arrange
global total, complete, overall
goma (*f*) rubber
gordo fat
gozar to enjoy
grabadora (*f*) recorder
gracias (*f pl*) thank you, thanks
grado (*m*) qualification
grande big, large, great
grandes almacenes (*m pl*) department store
grasa (*f*) fat
gratis (*adj*) free
grato pleasing
  me es muy grato it's a pleasure for me, I'm pleased to
gravamen (*m*) burden, tax
  libre de gravamen free of tax

gravar to burden
gris grey
gritar to shout, to scream
grueso thick, bulky
guardería infantil (*m*) creche
guarnición (*f*) garnish
guerra (*f*) war
guisar to cook
gustar to like, to please
gusto (*m*) taste, liking
  mucho gusto pleased to meet you, how do you do

H

haber to have
habitación (*f*) room, bedroom
habitante (*m*) inhabitant
habla (*f*) language, speech
  de habla española Spanish-speaking
hablar to speak
hace buen tiempo the weather is fine
hace calor it is hot
hace falta it is necessary
hace sol it is sunny
hace tres años three years ago
  desde hace tres años for three years
hacer to make, to do
hacia towards
hallarse to be found, to find oneself, to be situated
hasta until, till, even, as far as
hay there is, there are
hecho (*m*) fact
helado (*m*) ice cream
herida (*f*) injury
hermana (*f*) sister
hermano (*m*) brother
herramienta (*f*) tool
hielo (*m*) ice
hierro (*m*) iron
hija (*f*) daughter
hijo (*m*) child, son
hijos (*m pl*) children
historial (*m*) curriculum vitae, record, dossier
hogar (*m*) home
hola hello
hombre (*m*) man
honorarios (*m pl*) fees
hora (*f*) hour, time
horario (*m*) timetable
hoy today
hoy en día nowadays
huelga (*f*) strike
húmedo damp, humid

I

ida y vuelta return (ticket)
idioma (*m*) language
igual same, equal
ilusión (*f*) illusion, hopeful anticipation
iglesia (*f*) church
imagen (*f*) picture
imaginar to imagine
impedir to prevent
implantación (*f*) introduction
implantar to introduce
importe (*m*) value
impreso (*m*) form
  rellenar un impreso to fill in a form
impresionante impressive
imprescindible necessary
  es imprescindible it is necessary, one has to
impuesto (*m*) tax
incendio (*m*) fire
inclinarse to prefer
incluir to include
incluso even
incrementar to increase
índice (*m*) index
indígena indigenous, Indian
individual single
industrializado industrialised
infantil child
inferir to infer, to deduce
influir to influence
infracción (*f*) offence
ingeniero (*m*) engineer
Inglaterra (*f*) England
inglés English
ingresar to enter
ingreso (*m*) income, revenue
inicial (*f*) initial
inscribirse to register
inscripción (*f*) enrolment
insinuarse to creep into
insolación (*f*) sunstroke
instalación (*f*) plant, installation
instituto (*m*) secondary school
integrado por made up of
intento (*m*) attempt
intermedio intermediate
intérprete (*m*) interpreter
interrumpir to interrupt
inusitado unusual
inventario (*m*) inventory, stocktaking
inversor (*m*) investor
invierno (*m*) winter
ir to go
isla (*f*) island

izquierdo left
  izquierda left (political)
  a la izquierda to the left, on the left

J
jabón (*m*) soap
– de tocador toilet soap
jamón (*m*) ham
jardín (*m*) garden
jefe (*m*) head, boss
jefe de redacción (*m*) chief editor
jornada (*f*) day
joven young
joya (*f*) jewel
jubilación (*f*) retirement
juego (*m*) game
jugar to play
jugar un papel to play a role
jugo de limón (*m*) lemon juice
juicio (*m*) judgement
juicio: a mi – in my opinion
junta (*f*) board, meeting
junto together
  junto a near to, next to, close to, together with
justificar to justify

L
la (*f*) the, the one
labor (*f*) labour, work, task
laboratorio de idiomas (*m*) language laboratory
lado (*m*) side
  al lado next door
  al lado de next to
ladrón (*m*) burglar
lamentar to regret
lanzar to launch
lápiz (*m*) pencil
largo long
  a lo largo de alongside, all through (time) throughout
laringe (*f*) larynx
lástima (*f*) pity
  que lástima what a pity
lavabo (*m*) wash stand, hand basin, toilet
lavar to wash
leche (*f*) milk
leer read
lejos far
lema (*m*) theme, motto
lenguado (*m*) sole
lenguaje hablado (*m*) spoken language
lento slow
letra (*f*) letter
letra bancaria (*f*) banker's draft
levantarse to get up, to rise
libra (*f*) pound
  libra esterlina pound sterling
libre free
límite de velocidad (*m*) speed limit
limpiaparabrisas (*m*) windscreen wipers
limpieza (*f*) cleaning, cleanliness
línea (*f*) line
litera (*f*) bunk, berth
liviano light
llamada (*f*) call
  llamada telefónica (*f*) telephone call
llamado (*m*) so called
llamar to call
  me llamo my name is
llamarse to be called
llave (*f*) key
llegada (*f*) arrival
llegar to arrive
llenar to fill
lleno full
llevar to carry, to take, to bring, to wear (clothes)
llevar tiempo haciendo algo to have been doing something for a certain time
llover to rain
lluvia (*f*) rain
local comercial (*m*) business premises
longitud (*f*) length
lucha (*f*) fight
luego later, then
lugar (*m*) place
lugar: en – de instead of
lujo luxury
lujoso luxurious
luz (*f*) light

M
madera (*f*) wood
madre (*f*) mother
madrileño (*m*) inhabitant of Madrid
maíz (*m*) maize, corn
mal bad, badly
maleta (*f*) suitcase
malo bad
mancha (*f*) spot
mandar to send, to order
manejar to manage, to work, to operate, to drive (SA)
manera (*f*) way
mano (*f*) hand
manos: en manos de in the hands of
mantener to maintain
mantención (*f*) maintenance
mantenimiento (*m*) maintenance

manzana (*f*) apple
mañana (*f*) tomorrow, morning
máquina (*f*) machine
máquina fotográfica (*f*) camera
máquina de escribir (*f*) typewriter
marca (*f*) make, brand
marcar to mark, to indicate
marido (*m*) husband
marisco (*m*) seafood
marrón brown
más more, most, else
más que more than
materias primas (*f pl*) raw materials
matrícula (*f*) registration
matricular(se) to register
mayor bigger, main, older
mayoría (*f*) majority
me me, to me
mecánico (*m*) mechanic
media alta: clase – (*f*) upper middle class
media baja: clase – (*f*) lower middle class
mediados de middle of
mediano average
medianoche (*f*) midnight
mediante through, by means of
medidas (*f pl*) measurements
medio (*adj*) intermediate
medio (*m*) method, middle, means, half, average
mediodía (*m*) midday
medios de comunicación (*m pl*) means of information, media
medir to measure
mejor better
mejorar to improve, to get better
menor (*m*) younger, minor
menudo: a – frequently, often
mercado (*m*) market
mercancía (*f*) merchandise
mercantil commercial
merecer to merit, to deserve, to be worthy of
merluza (*f*) hake
mero mere, pure, simple
mes (*m*) month
mesa (*f*) table, desk
mestizo (*m*) mixed race
metálico metal
metálico (*m*) cash
mexicano Mexican
mezcla (*f*) mixture
mezclar to mix
mezclarse to mix
mezquita (*f*) mosque
mi my
microcomputador (*m*) microcomputer
miel (*f*) honey
mientras while
mientras que whereas
milagro (*m*) miracle
millón (*m*) million
minería (*f*) mining
minuto (*m*) minute
mirar to look
mismo same
mitad (*f*) half
modales (*m pl*) manners
modo (*m*) way, means
molestia (*f*) trouble, bother
moneda (*f*) coin, money, change
montaña (*f*) mountain
moreno dark, brown
morir to die
mostrar to show
mucho much, a lot
mucho gusto pleased to meet you, how do you do?
mueble (*m*) piece of furniture
muebles (*m pl*) furniture
muestrario (*m*) range of products, samples
mujer (*f*) woman, wife
multa de tráfico (*f*) traffic fine
multiplicar to multiply
mundial world
mundo (*m*) world
música (*f*) music
música ambiental (*f*) piped music
muy very
muy a menudo very often

N

nacer to be born
nacimiento (*m*) birth
nacionalidad (*f*) nationality
nada nothing
de nada don't mention it
nadar to swim
Navidad (*f*) Christmas
naviero shipping
navío (*m*) boat
negocio (*m*) business
neolítico (*adj*) neolithic
neumático (*m*) tyre
neumático de repuesto (*m*) spare tyre
nevazón (*f*) snowstorm
ningún, ninguno (*m*) none
niño (*m*) child
nitidez (*f*) spotlessness, clarity
nivel (*m*) level
no no, not

noche (*f*) night
nombrar to appoint, to nominate
nombre (*m*) name
nómina (*f*) payroll
nor(d)este (*m*) northwest
noroeste (*m*) northwest
norteamericano North American
nube (*f*) cloud
nuestro our
nuevo new
número (*m*) number
nunca never

O
objeto de subject to
objetos perdidos (*m pl*) lost property
obra en mi poder su carta I have received your letter
obrar to work
obtener to obtain
ocasionado caused
occidental (*adj*) west
ocultar to hide
ocupar to occupy, to fill (post)
oferta (*f*) tender, bid, offer
oficina (*f*) office
oficio (*m*) trade
ofrecer to offer
oír to hear, to listen
ojalá I hope so, God willing!
ojo (*m*) eye
olivo (*m*) olive tree
olvidar to forget
opinar to hold an opinion
ordenador (*m*) computer
ordenar to arrange, to order
Organización del Comercio Mundial (*f*) World Trade Organisation
orgulloso proud
orilla (*f*) bank, shore
oro (*m*) gold
ortografía (*f*) spelling
oscilar to oscillate
ostentar to have, to carry, to possess, to show off
otoño (*m*) autumn
otorgar to grant, to confer
otro other, another

P
padre (*m*) father
padres (*m pl*) parents
pagar to pay
país (*m*) country
  país y ciudad de origen country and city of origin
  País Vasco (*m*) Basque Country
paisaje (*m*) landscape, countryside
palabra (*f*) word
pan (*m*) bread
pantalla (*f*) screen
pantalones (*m pl*) trousers
pañales (*m pl*) nappies
papel (*m*) paper
  jugar un papel to play a role
papelería (*f*) stationery, stationery shop
paquete (*m*) parcel, packet
par: a la – at par
par: a la – con on a par with
par (*m*) pair
para for, towards, in order to, by
para que in order that, so that
parada (*f*) stop
  parada del autobús (*f*) bus stop
parabrisas (*m*) windscreen
parado unemployed
parar to stop
parecer(se) a to seem, to look like, to resemble
  si le parece bien if it is all right with you, if you like
  me parece que sí I think so
pariente (*m*) relative
paro (*m*) unemployment
parque (*m*) park
parte (*f*) part
  ¿de parte de quién? who shall I say?
partida (*f*) departure
partir to depart, to cut
  a partir de from, as from
pasaje (*m*) fare (SA)
pasajero (*m*) passenger
pasar to go in, to come in, to pass, to spend (time), to happen
pasarlo bien to have a good time, to enjoy oneself
pasatiempo (*m*) pastime
paseo (*m*) walk
  ir *or* **salir de paseo** to go for a walk
pasillo (*m*) passage
patata (*f*) potato
patrimonio (*m*) inheritance, birthright, heritage
patrocinar to sponsor
patronal (*f*) bosses, management
pedido (*m*) order
  hacer un pedido to place an order
pedir to ask, to order
película (*f*) film
peluquería (*f*) hairdresser
penoso arduous

pensar to think
pensión completa (*f*) full board
peor worse
pequeño small
perder to lose
pérdida (*f*) loss
perdido lost
perdidos: objetos – lost property
perfeccionar to improve
periódico (*m*) newspaper
periodista (*m/f*) journalist
perla (*f*) pearl
permanencia (*f*) stay
permiso de conducir (*m*) driver's licence
permitir to allow
permitido allowed
pero but
persiana (*f*) blind
personaje (*m*) important figure, character
personal (*m*) personnel
personal hostelero (*m*) hotel staff
perspectiva (*f*) angle
perteneciente a belonging to
pesar to weigh
  a pesar de in spite of
pesca (*f*) fishing
pescado frito (*m*) fried fish
pescar to fish
pese a despite
pesebre (*m*) manger, crib
peso (*m*) weight
peso (*m*) South American currency (e.g. Chile, Mexico, Argentina)
pesquero fishing
  industria pesquera fishing industry
petición (*f*) application, request
petróleo (*m*) oil
picadillo (*m*) minced meat
pie (*m*) foot
  a pie on foot
piedra (*f*) stone
piel (*f*) leather, skin
pila (*f*) battery
pintura (*f*) painting, paint
piscina (*f*) swimming pool
piso (*m*) flat, floor, storey
pista (*f*) court
pizarra (*f*) blackboard
plano (*m*) plan
planta (*f*) floor, plant
planta baja (*f*) ground floor
plantel (*m*) establishment, training, workforce, nursery
plata (*f*) silver
plátano (*m*) banana
playa (*f*) beach
plaza (*f*) square, place
plazo (*m*) period
plenamente completely, fully
pleno full
población (*f*) population, setlement, town or city
poblado inhabited
poco little, short time
poder (*m*) power
poder can, to be able to
policía (*m*) policeman
policía (*f*) police force
póliza (*f*) policy
polos de industrialización (*m pl*) areas of industrialisation
ponerse to put on
ponerse al día to keep abreast
por for, by, through, in, along, per
  por aquí this way
  por cien(to) per cent
  por consiguiente therefore
  por ejemplo for example
  por favor please
  por la mañana in the morning
  por la noche at night
  por la tarde in the afternoon/evening
porcentaje percentage
portátil portable
poseer to have, to possess
postal postal
posteriormente later, afterwards
potencia (*f*) power
precio (*m*) price
predominar to dominate
preferir to prefer
pregunta (*f*) question
prenderse to catch fire
prensa (*f*) press
preocuparse to worry
presencia (*f*) presence
  tener buena presencia to be presentable, smart
préstamo (*m*) loan
prestar to lend
presupuesto (*m*) budget
  presupuesto familiar (*m*) family budget
pretender to intend
prever to foresee
previo previous, prior
previsión (*f*) forecast
primavera (*f*) spring (time)
principal main

principiante (*m/f*) beginner
prioridad (*f*) priority
probar to try, to test
procedencia (*f*) source, origin
proceder: si procede if appropriate
proceder de to come from
procedente de coming from
procesador de datos (*m*) word processor
profesión (*f*) profession
profesor (*m*) teacher
profundidad (*f*) depth
programación (*f*) programs
prohibido prohibited, forbidden
prohibir to prohibit, to forbid
promedio (*m*) average
pronombre (*m*) pronoun
propina (*f*) tip
propio own
proporcionar to give, to provide, to supply
próspero prosperous
provechoso advantageous
provenir to come from, to arise from, to stem from
proveniente de arising from, coming from
próximo next
  más próximo nearest
publicidad (*f*) publicity
pueblo (*m*) village, small town, people
puente (*m*) bridge
puerta (*f*) door
puerto (*m*) port
  puerto franco (*m*) free port
pues sí well yes
pulsar to press
punto (*m*) point, dot
punto fronterizo (*m*) border point
puro (*m*) cigar
puro pure

Q
que (*rel pron*) what, that
  ¡qué hay! hello, how are you?
  ¡qué tal! hello, how are you?
quedar to remain, to stay, to agree
quedarse to stay
quejoso (*adj*) grumbling
querer to want, to wish, to love
quien who
química (*f*) chemistry
químico (*m*) chemist, chemical
  ingeniero químico chemical engineer
quizá(s) perhaps

R
rama (*f*) branch
ramo (*m*) branch
ranura (*f*) groove, slot, crack
rapidez (*f*) speed
rápido fast
rasgo (*m*) feature, characteristic
rato (*m*) moment, while
razón (*f*) reason
  a razón de because of, due to, at the rate of
  en razón de with regard to
  tener razón to be right
real royal, real
realizar to carry out, to perform, to undertake
rebaja (*f*) reduction
recado (*m*) message
recalar to land
recargo (*m*) surcharge
receptor (*m*) listener, addressee
reclamación (*f*) complaint
reclamar to complain
recoger to collect
recogida (*f*) collection
recomendar to recommend, to suggest
recompensa (*f*) reward, compensation
reconocer to recognise
reconocimiento (*m*) examination (medical)
recordar to remember, to remind
recorrido (*m*) run, journey
recto straight
  todo recto straight on
recursos naturales (*m pl*) natural resources
red (*f*) network, net
redacción (*f*) writing, drafting
reemplazo (*m*) replacement
referente concerning
regalar to give a present
regalo (*m*) present
regar to water
regateo (*m*) bargaining
registrar to register, to show, to record
registro (*m*) register
regla (*f*) rule, ruler
regla de oro (*m*) golden rule
reglas del juego (*f pl*) rules of the game
reglamentar to establish regulations, to regulate
reglamentaciones (*f pl*) regulations
regresar to return
regreso (*m*) return
reina (*f*) queen
reinado (*m*) reign
reinar to reign
Reino Unido United Kingdom
reintegrable returnable
relevo (*m*) relief
relieve (*m*) relief (Geography)

rellenar to fill in, to complete
reloj (*m*) watch, clock
remolacha (*f*) (sugar) beet
rendir to yield, to produce
reparar to repair
reponerse to recover (medical)
reposar to rest
representante (*m*) representative
representar to represent
repuesto (*m*) spare part
resaltar to stand out, to point out
resolver to solve
respetar to respect
responder to answer
responsable (*m*) person in charge
respuesta (*f*) answer
restar to deduct, to take away, to subtract
resuelto solved
reunión (*f*) meeting
reunir to bring together
reunirse to meet
revisar to check
revista (*f*) magazine
rey (*m*) king
riesgo (*m*) risk
riqueza (*f*) wealth, riches
ritmo (*m*) rate, rhythm
rogar to ask, to pray
románico romance
ropa (*f*) clothes
  ropa interior (*f*) underwear
romper to break
ronquera (*f*) hoarseness
rotativamente in rotation
rotundamente emphatically, roundly
rubio blond
rúbrica (*f*) flourish
ruego: le – que please, kindly
ruta (*f*) route
rutinario routine

S

saber to know
sacar to take out, to get, to buy (tickets)
sal (*f*) salt
sala (*f*) room, lounge, hall, sitting room
saldo (*m*) balance
salir to go out, to leave, to turn out, to prove
salón (*m*) sitting room
salud (*f*) health
saludar to greet
salvaguardar to safeguard
salvo except
sangría (*f*) drain
seco dry
secretaria (*f*) secretary
  secretaria de dirección personal secretary
sede (*f*) seat (company, government headquarters)
seguir to follow, to continue
según according to, in accordance with
segundo second
seguridad (*f*) security
seguro (*m*) insurance
seguro sure, certain
  estar seguro to be sure, to be certain
  póliza de seguro insurance policy
sello (*m*) stamp
selva (*f*) forest, wood, jungle
semana (*f*) week
semestral half yearly
sencillo single
sensiblemente perceptibly, noticeably
sentarse to sit down
sentido: en este – in this respect
sentido común (*m*) common sense
sentir to be sorry about
  lo siento I'm sorry
sentirse to feel
  sentirse mal to feel sick
señalar to point out, to name, to set, to fix
señor (*m*) Mr, sir, gentleman
señora (*f*) lady, wife, Mrs, madam
señorita (*f*) young lady, Miss
sequedad (*f*) dryness
ser to be
servicios (*m pl*) service industries, toilets
servir to be useful, to serve
si if, weather
sí yes
siderurgia (*f*) iron and steel industry
siderúrgica (*adj*) iron and steel, (*f*) iron and steel works
siempre always
  siempre que as long as
siento: lo – I'm sorry
siéntese sit down
siglo (*m*) century
siguiente next, following
simpático (*adj*) pleasant
sin without
sindicato (*m*) trade union
sino but
sitio (*m*) place
situar to locate
situarse to stand
soberanía (*f*) sovereignty
sobre about, on, above

sobre (*m*) envelope
sobrepasar to surpass, to exceed
sobresaliente outstanding
sobrio moderate
sol (*m*) sun
solamente only
soldado (*m*) soldier
soler to be in the habit of, to usually
solicitar to ask for, to apply for
solicitud (*f*) application, petition
  solicitud de apertura (*f*) application to open an acount
solo alone
sólo only
solomillo (*m*) sirloin
soltero single, bachelor
sonar to sound, to ring
sonido (*m*) sound
soplar to blow
su your, his, her, its, their
suave soft, light, smooth
subdesarrollado underdeveloped
subterráneo (*adj*) underground
subvención (*f*) subsidy
suceder to happen
sueldo (*m*) salary
suelo (+ *infinitive*) I usually
suerte (*f*) luck
sufrir to suffer, to undergo
sumar to add up
suministrar to supply
superación (*f*) improvement, doing better
superficie (*f*) surface area
superior advanced
supermercado (*m*) supermarket
suprimir to cut out, to cancel, to abolish
suponer to suppose, to assume
  supongo que sí I suppose so
surcar to ply
sustentar to sustain
sustituir to replace, to substitute

T
tabaquería (*f*) tobacco shop (Méx)
tal such
  tal como such as
  ¿qué tal? how are you? what about ...?
talón (*m*) cheque
tamaño (*m*) size
también also
tampoco neither
tanto so much, as many, so
  tanto A como B both A and B
  un – rather
tardar to take time, to last
tarde (*f*) afternoon, evening
tarde late
tarde: más – later on
tardes: buenas – good afternoon, good evening
tardío late, overdue, belated
tarjeta (*f*) card
  tarjeta postal (*f*) postcard
tasa (*f*) rate, estimate, valuation
  tasa de mortalidad (*f*) death rate
  tasa de nacimiento (*f*) birth rate
teclado (*m*) keyboard
telefónica: compañía – (*f*) telephone company
telespectador (*m*) viewer
televidente (*m*) viewer
templado temperate, lukewarm
tendero (*m*) shopkeeper
tenderse to lie down
tener to have
  tener – años to be – years old
  tener derecho a to be entitled to
  tener lugar to take place
  tener que to have to
  tener que ver to have to do
tenido en cuenta taken into account
teniente (*m*) lieutenant
Tercer Mundo (*m*) Third World
terminar to end, to finish
terraza (*f*) balcony, terrace
terrestre (*adj*) land, terrestrial
tertulia (*f*) social gathering
tiempo (*m*) weather, time
tienda (*f*) shop, tent
tinto red (wine)
tintorería (*f*) dry-cleaner
tipo (*m*) kind, type, class
título (*m*) title, headline
tocador: artículos de – (*m pl*) toiletries
todo everything, all, everyone
todos all, everyone
  Todos los Santos All Saints' Day
tomar to take, to drink, to eat
tomar el sol to sunbathe
tonelada (*f*) ton
tope (*m*) top, maximum
tortícolis (*f*) stiff neck
trabajar to work
trabajador (*m*) worker
trabajador hard working
trabajo (*m*) work, job, occupation
traducir to translate
traductor (*m*) translator
traer to bring
tragar to swallow

tráigame bring me
tráiganos bring us
trámites (*m pl*) procedures
transbordar to change (trains etc)
transbordo (*m*) change (trains etc)
transformarse to become
transeúnte (*m/f*) passer-by, non-resident
trasladar to move, to be transferred
trata: se – de it's about, is a question of
tratarse to be about
través: a – de through, by means of
tren (*m*) train
tribu (*f*) tribe
trigo (*m*) wheat
tripulación (*f*) crew
tripulación auxiliar (*f*) cabin crew
triunfo (*m*) victory, triumph
turismo (*m*) tourism
turista (*m*) tourist
turístico touristic
tutor (*m*) guardian

U
ubicar to place, to situate
un a, an, one
unidad (*f*) unit
unido united
unir to join
universidad (*f*) university
unos about, around
usted, Ud. (SA), **Vd.** you (*sing* polite form)
ustedes, Uds. (SA), **Vds.** you (*pl* polite form)
utilizar to use

V
vacaciones (*f pl*) holidays
vagones de ferrocarril (*m pl*) railway carriages
vagón (*m*) coach, carriages
vale la pena it's worthwhile
valer to be worth, to cost, to be good
valioso (*adj*) valuable
varices (*f pl*) varicose veins
vasco Basque
vaso (*m*) glass
veces (*f pl*) times
  a veces sometimes
  veces (dos, tres –) twice, three times etc
vecino (*m*) neighbour
velocidad (*f*) speed, gear
vencido overcome
vendedor (*m*) salesman
vender to sell
venezolano Venezuelan
venir to come
venta (*f*) sale
ventaja (*f*) advantage
ver to see
veraneante (*m/f*) holidaymaker
verano (*m*) summer
verdad (*f*) truth
¿verdad? right?
verde green
verdura (*f*) green vegetable, green, greenery
vestido (*m*) clothing, dress
vestir to dress
vestirse to get dressed
vez (*f*) time
vez: de – en cuando from time to time
  otra vez again
  tal vez perhaps
  una vez once
vía (*f*) road, by, railway line, way, route
viajante (*m*) traveller
viajar to travel
viaje (*m*) journey
viajero (*m*) traveller
  cheque de viaje(ro) traveller's cheque
vida (*f*) life
viento (*m*) wind
  hace viento it's windy
viernes Friday
Viernes Santo Good Friday
villancico (*m*) Xmas carol
vino (*m*) wine
virrey (*m*) viceroy
visa (*f*) visa (SA)
visado (*m*) visa, permit
vista (*f*) sight, view
  a la vista (*f*) at sight
vivienda (*f*) accommodation, housing, house
vivir to live
volver to return
voz: en – alta aloud
  en – baja in a quiet voice
vuelo (*m*) flight
vuelta (*f*) return

Y
y and
ya already
  ya no not any longer
ya que as, since
yacimiento (*m*) deposit (mineral)
yo I

Z
zapato (*m*) shoe
zona (*f*) region, zone

Grammar summary

The numbers in bold type refer to Units, the others to the sections in the Grammar section of each Unit.